日本人《にほんじん》のための大麻《たいま》の教科書《きょうかしょ》

The Textbook of TAIMA for Japanese People

「古《ふる》くて新《あたら》しい農作物《のうさくぶつ》」の再発見《さいはっけん》

大麻博物館《たいまはくぶつかん》

Taima-Cannabis Museum

イースト・プレス

栃木県などでは、現在も農作物としての大麻を栽培している。

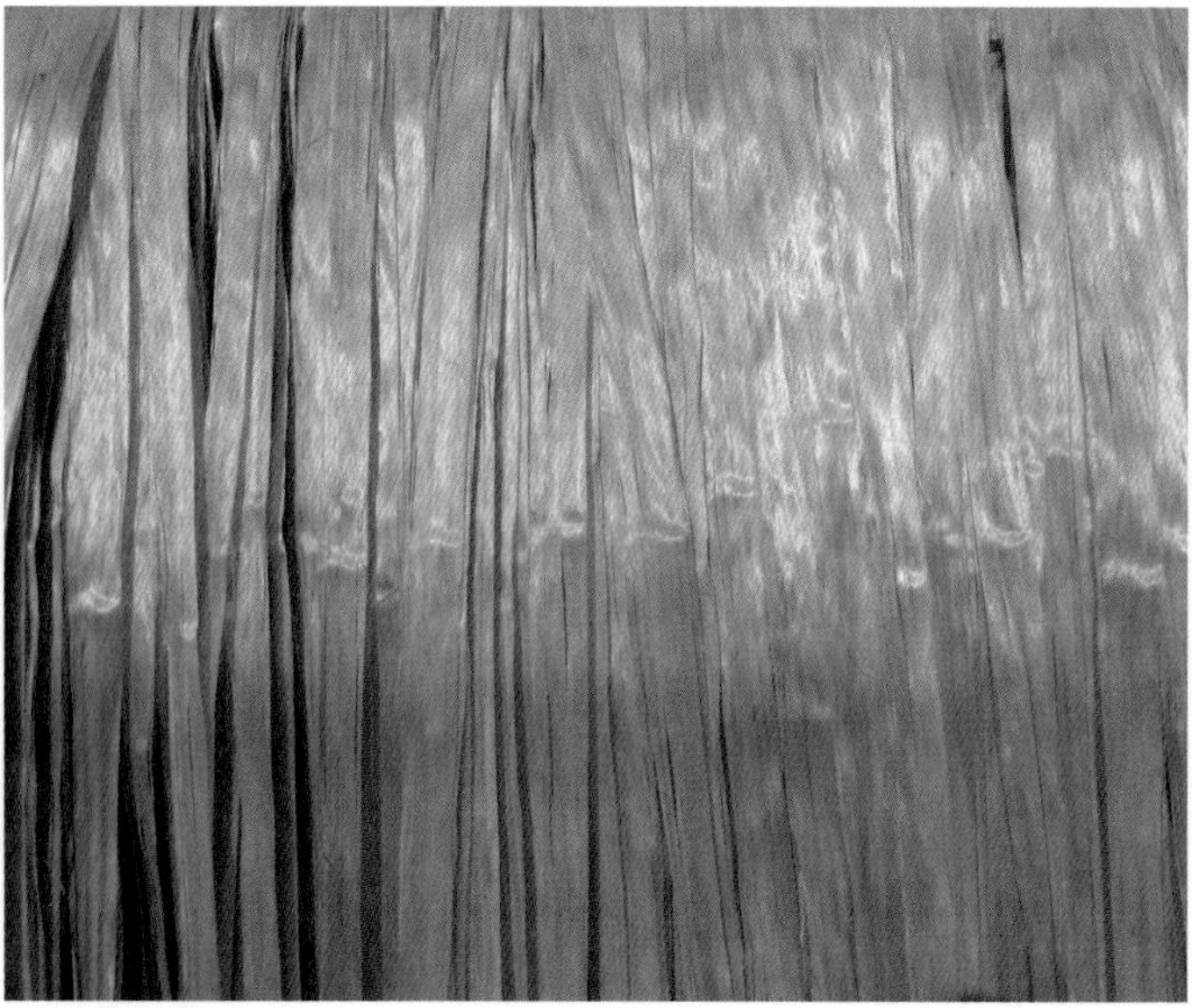

かつて「大麻」といえば、茎から剥いだ皮の繊織「精麻」を指した。

栃木県出身の洋画家、清水登之の代表作「大麻収穫」(1929年)。　提供：とちぎ蔵の街美術館

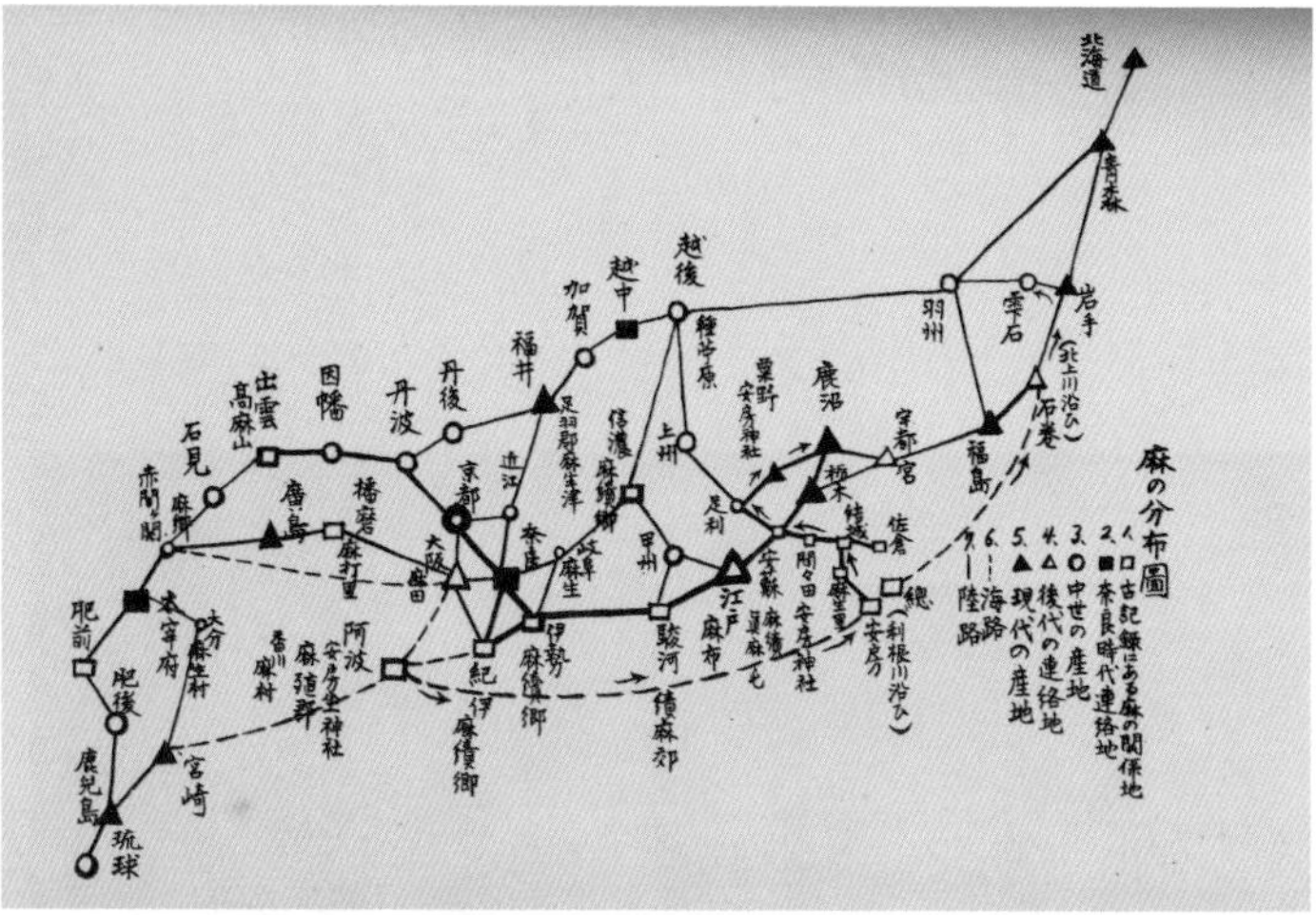

農作物としての大麻を知る上で、バイブルのような一冊『大麻の研究』より（1937年）。

福井県、鳥浜遺跡から出土した大麻の布。縄文時代前期（約7000～5500年前）のものと推定される。

提供：福井県立若狭歴史博物館

現存する最古の麻の葉模様と推察される、京都の大報恩寺にある優婆離立像（1219年頃）。

栃木の大麻農業の流れを29工程に分け、丹念に描いた光信の作品「麻栄業図」(1892年)。

二十七
上ハ皮ノ滓《カス》ヲ取ヲ
麻挽トモ云

十三
脱麻ヲ足ニテ土ヲ洛ス也
是モ麻切之内ナリ
十四
是ヲ葉打トモ云
此所モ麻切之内也

大麻取締法制定の前年に栃木の大麻収穫をご高覧される昭和天皇（1947年）

日本人のための

大麻の教科書

「古くて新しい農作物」の再発見

The Textbook of TAIMA
for Japanese People

大麻博物館

Taima-Cannabis Museum

イースト・プレス

はじめに

この一見変わったタイトルの本を手にとっていただき、ありがとうございます。そんなあなたに質問なのですが、「大麻」と聞いて、どんなイメージを思い浮かべるでしょうか？

近年の日本においては、大麻はすっかり「違法な薬物」というイメージが定着しています。若年層を中心に検挙者が急増し、著名人の逮捕が大きな話題となるなど、ネガティブな報道ばかりが目につきます。

一方、海外では北米などを中心に、大麻に関する再評価が進んでいます。カナダやウルグアイ、アメリカの一部の州は「違法な薬物」であるマリファナの合法化に踏み切りました。また、医療用途の利用が、韓国やタイといったアジアの国を含む40カ国以上で認可され、産業用大麻（ヘンプ）は環境負荷の少ない資源として、急速な勢いで研究や商品開発が進んでいます。これらの動きは「グリーンラッシュ」と呼ばれる大きな潮流となり、企業や投資家の注目を集め、新たな雇用や税収を生み出し、数百億ドルの市場規模になると予想されています。

さて、本書が主に扱う大麻は、いまご紹介したものとは少し違います。本書を通じて知っていただきたいのは、**多くの日本人には忘れられているものの、稲作より早く（1万2000年前）から栽培され、日本人の衣食住を支えてきた「大麻という農作物」**についてです。

意外に思われるかもしれませんが、ほんの70年ほど前まで、大麻は日本人にとって非常に身近な存在でした。それがなぜ「違法な薬物」になってしまったのかは、本書を読み進めていくうちに明らかになっていきます。

私たち大麻博物館は、この「大麻という農作物」をテーマに、2001年に栃木県那須に開館した私設の小さな博物館です。資料や遺物の収集、調査、情報発信を行うほか、各地でワークショップや講演などを行っています。

その長年の活動の結果、私たちはあることを確信しています。それは、かつて「大麻」

は日本の象徴的な農作物である米に匹敵する重要な存在だったこと、日本人とはいわば「米と大麻をつくってきた民族」だったということです。突飛に聞こえるかもしれませんが、根拠は山のようにあります。しかし、この農作物の存続は現在、非常に深刻な局面にあります。長い時間をかけて育まれた日本独自の文化を継承していくためには、日本人にとって大麻がどのようなものであったのかを正確に理解することが必要不可欠です。

本書は「名称」「歴史」「農」「衣」「宗教」「文化」「食」「薬」「模様」「法」といった10の切り口から大麻について紹介し、考察を行っていきます。また、各界で大麻に関する情報発信を行っている識者の方々からも寄稿をいただきました。

本書が「大麻という農作物」の存在を知ってもらうきっかけとなり、日本においてもフラットで開かれた議論が行われる一助となれば幸いです。

日本人のための大麻の教科書　「古くて新しい農作物」の再発見　目次

第2章 歴史

第3章 農

第4章 衣

第5章 宗教

第7章 食

第8章 薬

第9章 模様

第10章 法

第 1 章

名称

chapter 1

Name

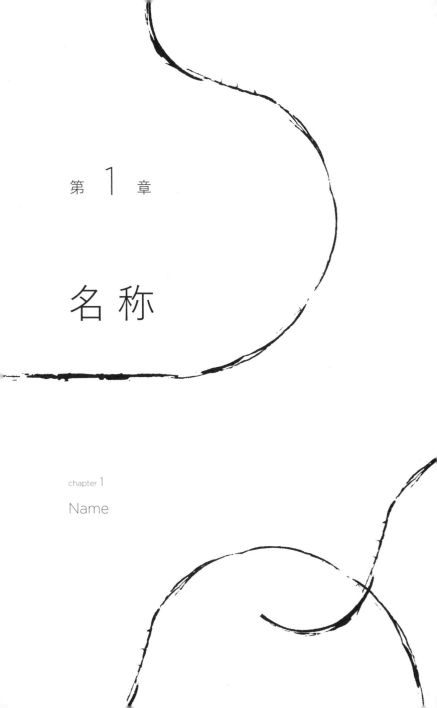

「大麻＝違法な薬物」ではない

大麻（学名：カンナビス・サティバ・エル）は中央アジアが原産地と考えられ［※1］、現在は亜熱帯から寒冷地まで世界各地に幅広く分布する「植物」です。かつてはクワ科に分類されていましたが、アサ科が新設され、アサ科アサ属に分類されています。アサ科アサ属に分類されているのは、大麻だけです。雌雄《しゆういしゆ》異株の一年草［※2］で、約110日間という短期間で2～4mにまで成長します。

大きな特徴として、花穂《かすい》や葉にTHC（テトラヒドロカンナビノール）という成分が含まれている点が挙げられます。このTHCが向精神作用［※3］をもたらすため、「違法な薬物」というイメージが定着してしまっています。しかし、すべての大麻に向精神作用があるわけではありません。近年では、向精神作用のないCBD（カンナビジオール）という成分が注目を集めています。

大麻は化学的に見ると「薬用型」「中間型」「繊維型」に分けられます。薬用型はTHCを多く含んでいるため、向精神作用をもたらしますが、繊維型はTHCの含有量が少ないた

［※1］近年の調査では、チベット辺りという説もある。
［※2］種をまいたその年のうちに発芽し、花が咲き、種をつけ、枯れる植物のこと。
［※3］中枢神経系に作用し、精神活動になんらかの影響を与えること。

め、向精神作用がほとんどありません。

かつての日本に生えていた大麻は繊維型であったため、向精神性のある薬物として用いる習慣が日本には存在しませんでした。より正確に言えば、大麻を喫煙していたことを示すような資料は日本で見つかっていません。その代わりに、衣服や神事をはじめ、多くの場面で素材として使われていた記録が大量に残されています。つまり、**かつての日本人にとっての大麻（繊維型）とは、衣食住を支える身近で有用な農作物だったのです。**しかし、現在では繊維型の大麻の栽培農家はわずか30数軒にまで減少し（1953年時点では3万7000軒）、「日本人の

大麻の品種による違い

品種	成分	含有量	主な用途
薬用型	THC＞CBD	THC2〜6%、品種改良により10〜20%のものもある	薬用、嗜好用
中間型	THC＝CBD	THCとCBDは同程度の含有量だが、THCの作用が強く出る	薬用
繊維型	THC＜CBD	THC含有量が1.0%未満、CBDの作用が強く出る	繊維用、食用、薬用

※THC含有量の測定は、大麻の開花直後の花穂を基準としている

営みを支えてきた農作物」は「違法な薬物」というイメージへと変わってしまいました。なぜ、このようなことになってしまったのか、本章ではこの謎に「名称」から迫りたいと思います。

「麻」と「大麻」

「大麻」「麻」「ヘンプ」「マリファナ」。じつはこれらの言葉は、すべて同じ植物を指しています。しかし、それぞれの言葉に対するイメージはさまざまです。たとえば、「大麻とマリファナは危険な感じ、麻とヘンプは単に素材の一つ」という認識の方が多いのではないでしょうか。

私たちはこの言葉の定義に関する問題が、「農作物としての大麻」を存続の危機にまで追いやっている最大の要因だと考えています。少し複雑ですが、順を追って説明します。

さて、次に引用するのは、2018年に発行された『広辞苑　第七版』による「大麻」の

大麻

大麻畑

定義です。現在、一般的に「大麻」と聞いて想起されるのは④の定義だと思いますが、その前に書かれた①〜③の定義にぜひ注目してください。

①伊勢神宮および諸社から授与するお札。
②幣《ぬさ》の尊敬語。おおぬさ。
③麻《あさ》の別称。
④アサから製した麻薬。栽培種の花序からとったものをガンジャ、野生の花序や葉からとったものをマリファナ、雌株の花序や上部の葉から分泌される樹脂を粉にしたものをハシシュといい、総称して大麻という。喫煙すると多幸感・開放感があり幻覚・妄想・興奮を来す。

①は別名「神宮大麻」と呼ばれます。これは日本全国の神社を通して配られる伊勢神宮のお札のことで、初詣に行った際などに多くの人が目にしていると思います。

②の「幣《ぬさ》」とは神に祈るときに捧げ、また祓《はら》いに使う、紙・麻などを切って垂らしたもののことです。どちらも神道に関連するものであり、大麻と神道は切っても切れない非常

に深い関係があります。これらについては第5章でくわしく説明しますが、単に「違法な薬物」ではないことが、この時点でもおわかりいただけるのではないでしょうか。

もっとも注目してほしいのは、③に書かれた「麻の別称」という定義です。「麻」と聞いて、現代の日本人が連想するのは主に衣服の素材であり、「違法な薬物」を連想することはほとんどないと思います。同じく広辞苑によると、「麻」は「草の名。繊維をとる。また、その繊維。古代にはもっとも主要な衣料の原料であった」と定義されています。

このように、**かつての日本において「麻」という言葉は「日本人の営みを支えてきた農作物」である「大麻」を意味しました。**また、古い文献の中で「麻」と書かれているものは「大麻」のことであり、本書でも基本的に「麻」は「大麻」の意味で用いています。通常は「麻」と呼んでいましたが、あらためて敬意を込める際に「大麻」(音読みで「たいま」、訓読みで「おおぬさ」)と呼びました。これも、神道において重要な役割を果たしていたことと関係しています。

また、繊維としての大麻の需要が減りはじめていた1962年に「家庭用品品質表示法」という法律が制定されました。商品の品質について、事業者が表示すべき事項や表示方法を定めたものです。この法律における「麻」は、「リネン（和名：亜麻、アマ科）」と「ラミー（和名：苧麻《ちょま》、イラクサ科）」に限ると定義されました。こうして、かつての「麻」であった「大麻」は、「麻」と表示すると法律違反になってしまったのです。つまり、夏のスーツやシャツといった「麻」製品は、リネンもしくはラミーでつくられたもので、大麻ではありません。「本麻」「真麻」などと書かれていても同様です。

さらに、「麻」という言葉の定義はさらに複雑です。現在「麻」という言葉は一般的に「植物から採れる繊維の総称」として使われているため、60種類を超える植物原料が「麻」と呼ばれています。代表的な「麻」は、次のようになっています。

・ジュート麻：シナノキ科の多年草。和名は黄麻《こうま》。コーヒー豆などを入れる麻袋《またい》や安価な麻製品に使われる、やや油臭い繊維。
・マニラ麻：バショウ科の多年草。農作業用ロープなどによく使われる。繊維がキレイで、見た目がよいが、繊維がチクチクとする。
・サイザル麻：リュウゼツラン科の多年草。ロープや足拭きマット、靴磨きブラシなどに使われる。硬い麻の代表。

リネン（亜麻）

ラミー（苧麻）

他にも、環境に優しい植物として、日本でも流行した「ケナフ（和名：洋麻、アオイ科）」も「麻」に分類されます。この背景には、明治時代以降に海外から持ち込まれた植物原料を一括りにして、「麻」という字を当ててしまったことがあります。さらに言えば、七味唐辛子の中に入っている「麻の実」は「大麻の種子」なのですが、ここでは「麻」になっています。めちゃくちゃです。

さて、整理します。かつて「麻」は「大麻」でした。一方、家庭用品品質表示法の「麻」は「リネン」もしくは「ラミー」です。また、一般的に用いられる「麻」という言葉は「植物から採れる繊維の総称」を意味します。「麻」が意味するところが変わっているのです。そのため、**「日本人の営みを支えてきた農作物」としての「麻」を指したい場合、「大麻」という言葉を使わざるを得ないというわけです。**

２００１年に開館して以来ずっと、「え、大麻？　大丈夫？」と言われ続けている当館ですが、もし「麻博物館」を名乗っていれば、このような問いを投げかけられることはなかったでしょう。しかし、「大麻博物館」を名乗らざるを得ない理由がここにあるのです。

最後にもう一点。大麻取締法では「大麻」を「葉」と「花穂」と定義づけ、その所持を禁じています（2021年現在）。農作物として使用されていた「茎」や「種子」は、現在も取り締まりの対象外です。このため、葉と花穂ばかりに注目が集まり、有用な茎や種子の存在が忘れ去られています。こうした点も「農作物としての大麻」への理解を大きく損なう一因となっています。

人名、地名、ことわざに用いられる「麻」

かつて「麻」は「大麻」を意味しました。大麻は日本人にとって、非常に身近な存在であったため、人名や地名などにもその名残が残されています。

日本人の苗字は約10万種類以上あるといわれていますが、そのほとんどは地名や地形に由来するとされています。「麻」とつく苗字は、麻井、麻生、麻浦、麻原、麻田、麻尾、麻丘、麻倉、宅麻《たくま》など多く存在します。これらの苗字の方々は、ご先祖が大麻となにかしらの関わりがあったのでしょう。ちなみに「大麻」という、そのものズバリな苗字も存在します。「おおあさ」と読み、阿波国（現在の徳島県）にある大麻山が起源とされ、現在も日本全国に500人ほどいらっしゃるとのことです。大きい100円ショップなどに行った際、設置してあるハンココーナーをチェックすると、かなりの確率で大麻さんのハンコは見つかるため、比較的ポピュラーな苗字なのかもしれません。

「麻」という字は、名前にも頻繁に用いられる文字の一つです。女の子の名前では、麻衣、麻美、麻里、麻子、麻由、麻未、麻央、麻帆、麻理子、麻希、麻耶、

大麻のハンコ

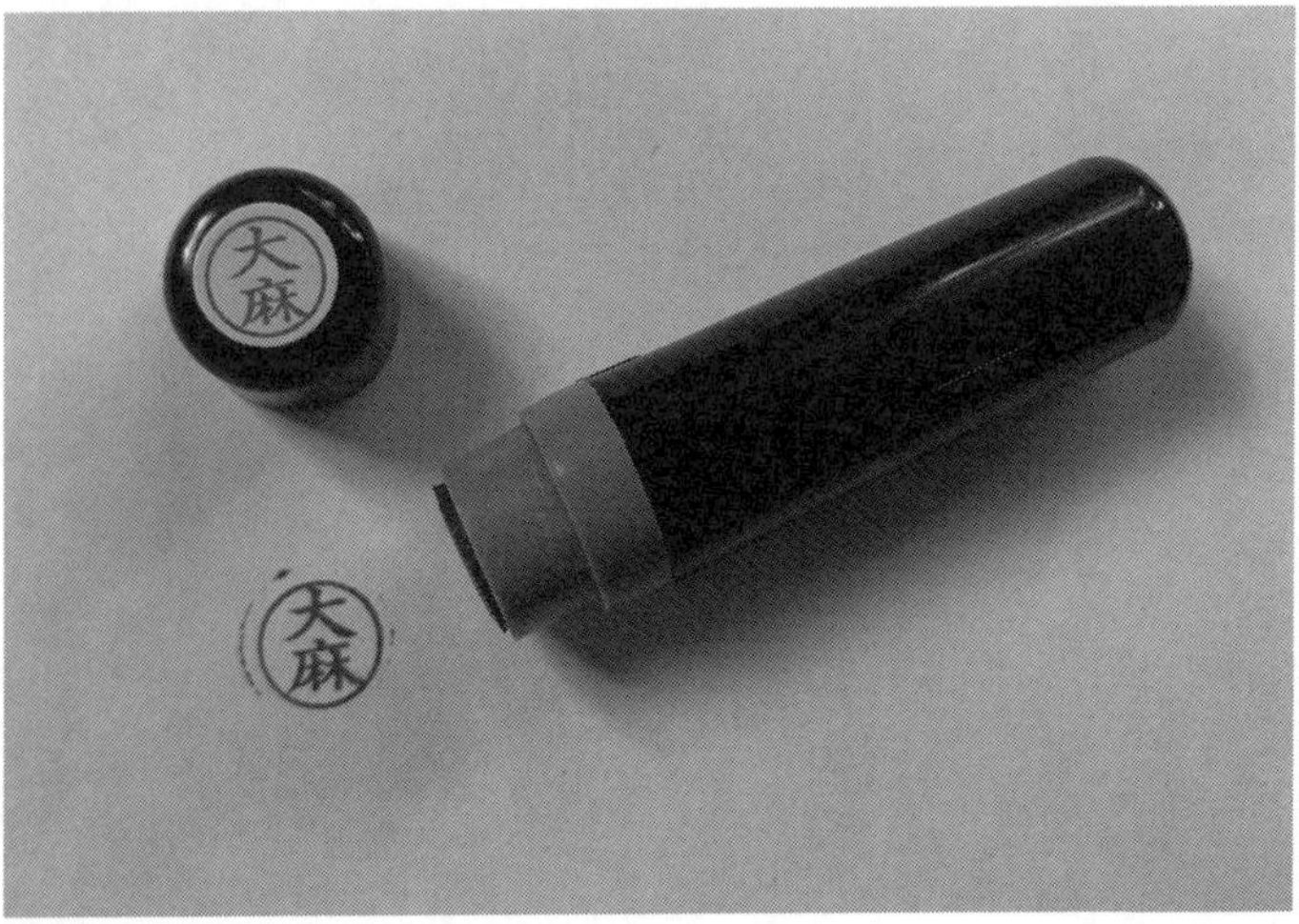

麻弥、志麻、麻美子、麻紀など。男の子の名前では、麻輝、麻樹、卓麻、麻也、麻人など。

この字を用いる理由は、植物としての特性に由来しています。「かつての麻」である「大麻」は成長の早い農作物で、まっすぐに伸び、強い繊維が採れます。それを子どもの成長にかけ、「すくすくと丈夫で健康に育ち、正直で素直で、真っ直ぐな心を持つ子に育ってほしい」という願いを込めたのです。また、衣食住のあらゆるところで人の役に立つことから、「世の中の役に立つ立派な人間になってほしい」という意味もあります。

「大麻」という言葉がタブーとなっている現代の日本において、子どもの名前をつける際に「かつての麻」である「大麻」を意識して、「麻」の字を用いることはほとんどないかもしれませんが、こうした背景があるのです。


また、「麻」の字は地名にも多く残されています。地名は地形などの自然が由来となったもの、歴史や経済、文化などが由来となったもの、宗教や人名、交通が由来となったものとその起源はさまざまです。「麻」がつく代表的な地名をいくつか取り上げてみましょう。

ＪＲ函館本線の大麻《おおあさ》駅がある北海道江別市の大麻、麻織物で知られる岩手県雫石町の麻見田《まみだ》、現在も大麻畑が多く残る栃木県鹿沼市の麻苧《あさう》町、大麻をテーマにした曲も多数あるラップグループ舐達麻《なめだるま》でも知られる埼玉県熊谷市の大麻生《おおあそう》、全国トップクラスの進学校である麻布学園でも知られる東京都港区の麻布《あざぶ》、区のシンボルマークに麻の実を用いている神奈川県川崎市の麻生《あさお》区、空海が父を供養するために創建した善通寺がある香川県善通寺市の大麻《おおあさ》町など、私たちが確認しているだけでも１００に近い地名が存在します。

また市町村の合併に伴い、地名そのものは失われてしまいましたが、長野県の美《み》麻《あさ》村（２００６年から大町市）、徳島県の麻植《おえ》郡（２００４年から吉野川市）には

JR大麻駅

「かつての麻」である「大麻」との関わりを示すエピソードが多く残されています。

他にも「麻」は、世代から世代へと言い伝えられてきたことわざのなかにも見つかります。代表的なものをご紹介します。

・麻の中の蓬《よもぎ》：蓬のように曲がりやすいものでも、まっすぐな麻の中に入って育てれば曲がらずに伸びるという意味で、人は善良な人と交われば自然に感化を受け、誰でも善人になるという例え。
・快刀乱麻《かいとうらんま》を断つ：もつれた麻を断ち切るという意味で、こじれた物事を鮮やかに処理することの例え。
・錦に勝る麻の細布《さいみ》：高価な錦の着物よりも、丈夫な麻の着物の方が日常の仕事をするのに役立つという意味で、見た目よりも実用性が重要という例え。

言葉の整理を

大麻博物館という、よくも悪くも目立つ名称の施設を長く運営していると、さまざまな方が来館されます。現在も大麻農家が存在する栃木の方や、大麻という農作物が身近なものだった記憶がある70歳以上の高齢の方のなかには、「大麻って、麻のことでしょう」とおっしゃる方もいます。その一方で、「違法な薬物」というイメージが強過ぎて、まったく話が噛み合わない方もいます。わざわざ来館していただいた方でもそうなのですから、日本社会の大麻に対する偏見や誤解は非常に根深いものがあるといえます。

では、どうすればこの状況を改善できるのでしょうか。たとえば、産業用、医療用、嗜好用の大麻が合法となったカナダやアメリカの各州では、大麻に関する名称が多く存在します。主に植物全体を指す場合や合法的に医療用に用いる場合を「CANNABIS（カナビス／カンナビス）」、向精神作用をもたらすTHCをほとんど含まない産業用を「HEMP（ヘンプ）」、嗜好用として喫煙するために雌株の花穂を乾燥させたものを「MA

RIJUANA（マリファナ）」といった具合です。また、近年「マリファナ」という呼び名は、過去の人種差別と関係しているため、使用を避けるべきだという主張も存在します。嗜好用は他にも、雑草を意味する「WEED（ウィード）」や「GRASS（グラス）」、「HERB（ハーブ）」、「420」といった俗称もあります。その用途によって、名称を使い分けているのです。

このように、私たちは言葉の整理を提案したいのです。「麻」の定義があまりにも複雑に絡み合っている以上、「日本人の営みを支えてきた農作物」は「大麻」と呼ばざるを得ません。ですので、古くから日本にあった「かつての麻」を「大麻」、日本の法律では禁じられた向精神作用のある嗜好用のものを「マリファナ」、くわしい違いは第4章で述べますが、輸入された海外産の産業用大麻を「ヘンプ」と、名称を使い分けてもらえれば、この混乱した状況が多少は改善していくのではないでしょうか。

正確な理解が広まると共に、「大麻」という言葉への忌避感が少しでも軽減していくことを願います。

The Textbook of TAIMA
for Japanese People

第 2 章

歴史

chapter 2

History

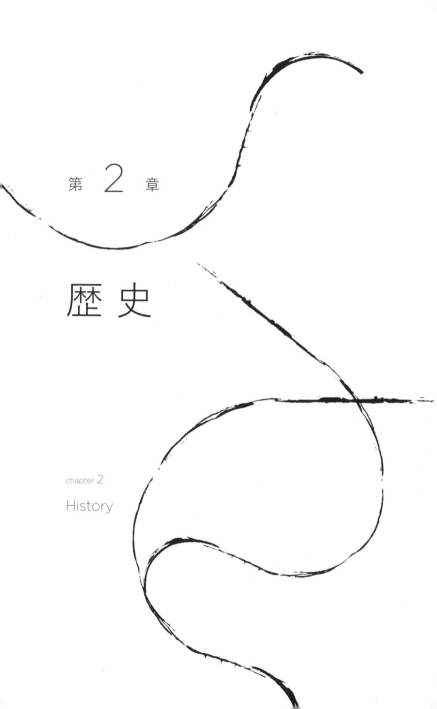

稲作より古い、日本人との関わり

「はじめに」でも少し触れましたが、日本人は1万年以上前から、生活のさまざまな場面で大麻という農作物を利用してきました。その用途は広く、日本の独特な風土に適した布、丈夫な魚網や釣り糸、畳表の経糸《たていと》、蚊帳、下駄の芯縄など多岐にわたり、日々の営みに欠かせぬものでした。この章では、日本人と大麻の歴史的なつながりについて、簡単に振り返ります。

第1章でも述べたとおり、大麻は中央アジアが原産地とされています。そこからシベリア、あるいは中国の雲南地方を通じ、日本の本州中部地域に広がる照葉樹林帯の農耕文化を通じて、日本列島へ渡ったとされていますが、くわしいことはわかっていません。

日本で最も古い大麻の痕跡は、福井県三方《みかた》町の鳥浜遺跡から出土しています（巻頭写真も参照）。「縄文のタイムカプセル」と呼ばれ、縄文時代草創期（約1万6000〜1万2000年前）から存在したとされるこの集落では、縄文時代の丸木舟や赤漆を塗った櫛、多彩な縄と編物、骨や角でつくった精巧な装飾品などの遺物が豊富に出土しており、そのなかに大麻の縄も含まれていました。これは、人の手によってつくられた世界最古の大麻の遺物です。

また、千葉県館山市の沖ノ島遺跡からは約1万年前の大麻の種子が出土しており、炭素年代測定法という手法によって、その事実が裏づけられています。日本に稲作が伝播したのは約3000年前とされていますので、大麻の方が米よりもはるかに早く日本へやってきたことが、考古学的に明らかになっているのです。

鳥浜遺跡から出土した大麻の縄（1万2000年以上前のものと推定される）

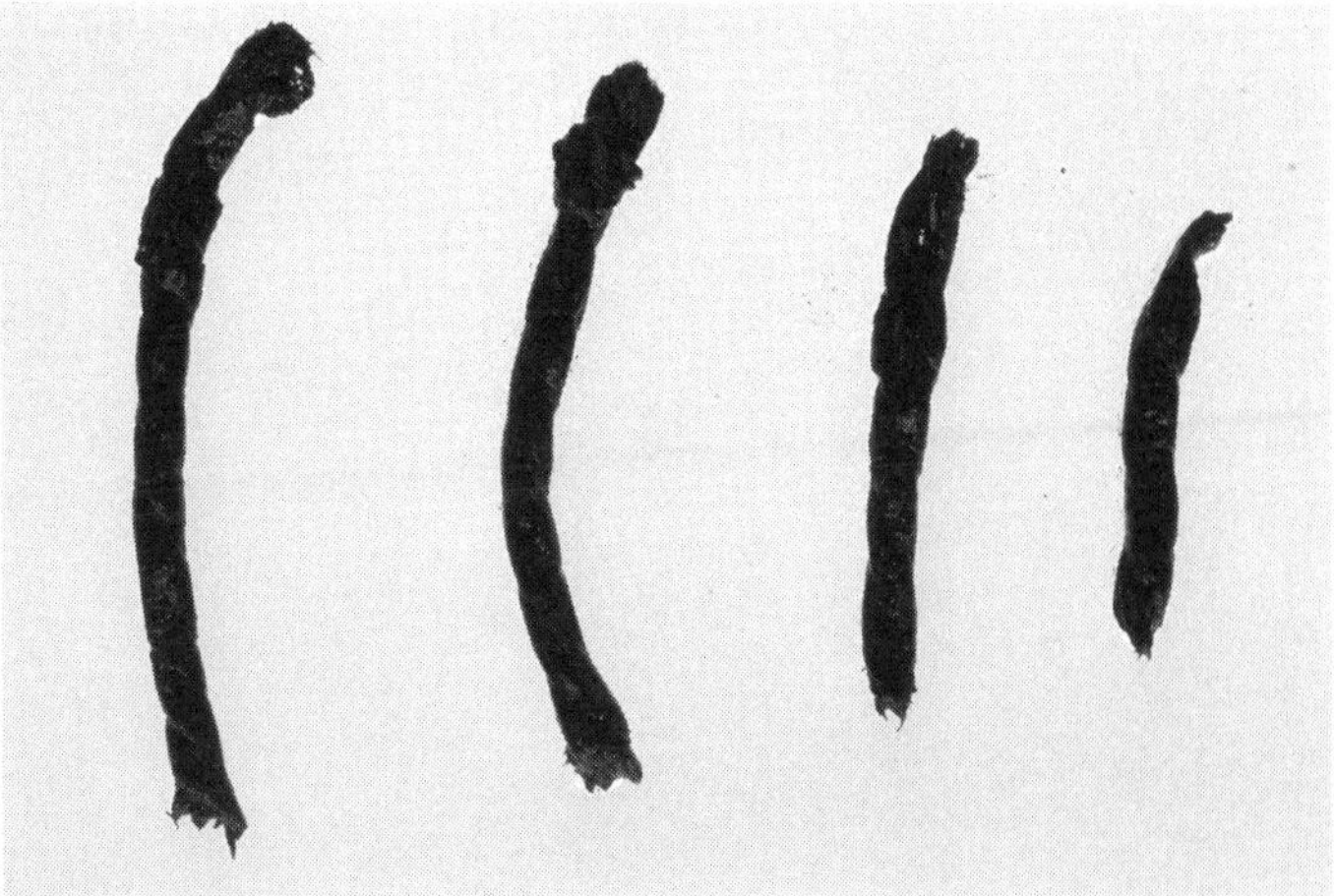

提供：福井県立若狭歴史博物館

他にも、秋田県の菖蒲崎《しょうぶざき》貝塚、北海道のキウス4遺跡、青森県の三内丸山遺跡と是川中居《これかわなかい》遺跡、東京都の下宅部《しもやけべ》遺跡、鹿児島県の宮之迫《みやのさこ》遺跡などからも大麻の繊維や種子は発見されており、この頃までには日本の広い範囲に大麻が分布していたことがわかっています。

縄文時代というと「貧しく不安定な狩猟生活」というイメージを持たれている方が多いと思います。しかし、実際には積極的に周囲の森林資源と関わり、ウルシ、クリ、マメ類といった有用な植物と同様に、大麻を食料、繊維、油として活用していたと推察されています。縄文人と植物の関わりについては、国立歴史民俗博物館が編集した『ここまでわかった！縄文人の植物利用』（２０１３年）に、近年の研究成果がまとめられています。

なお、「縄文時代」という名称の由来である縄文土器を彩る模様は、植物の繊維でつくった縄でつけられており、これが大麻の縄であるという情報がインターネットなどに散見されます。しかし、それを裏づける資料や研究はありません。

また、紀元前10世紀頃から紀元後3世紀中頃までにあたる弥生時代の遺跡から見つかっている植物繊維の素材も、その多くが大麻です。弥生時代中期から後期にかけての唐古《からこ》・鍵《かぎ》遺跡（奈良）、吉野ケ里遺跡（佐賀）、登呂《とろ》遺跡（静岡）などから出土した布は、大麻からつくられていました。その他は藤《ふじ》、科《しな》、穀《かじ》、楮《こうぞ》、葛《くず》などの繊維だったと推察されています。京都工芸繊維大学名誉教授であり、繊維史を研究した布目《ぬのめ》順郎《じゅんろう》の著書『絹と布の考古学』（１９８８年）によれば、古墳時代になると大麻と苧麻の比率は半々になり、奈良時代になると苧麻の方が多くなっています。

また、有名な「魏志倭人伝」によると、西暦２３９年に卑弥呼が魏の王に使者を通じて贈った班布《はんぷ》という布は、大麻もしくは苧麻だったと考えられています。

租庸調、古事記、万葉集、四木三草

７世紀、天皇を中心とした中央集権的な政治機構がつくられると同時に、律令制と呼ばれる税制度が確立し、「租・庸・調」という３種類の税が定められました。「租」は田畑の面積に応じて収穫の一部を納めるもの。「庸」は農民に労役を課す代わりにその土地の農作物で納めるという仕組みで、米、塩などと共に麻布が含まれていました。「調」は毎年、地方ごとに絹、糸、麻布などを納める仕組みです。交通が不便だった当時、税を納める都は奈良なので、遠く離れた東日本では、軽くて運びやすい点から麻布や絹などが選ばれました。大化の改新の賦役令《ぶやくりょう》では、麻布だけでなく、麻子油《ましゆ》と呼ばれた大麻種子の油や熟麻《にお》と呼ばれた大麻の繊維、精麻《せいま》(くわしくは第3章参照)のことが記録されています。大麻が日本各地に根づき、当時の社会においていかに重要な存在だったかを示しています。

また、1998年に「古都奈良の文化財」の一部としてユネスコの世界遺産に登録された正倉院には、大麻をつかった麻紙《まし》の文書が残っています。

製紙の技術は、仏教の伝来と同時に日本に伝えられ、奈良時代には各地で製紙が行われるようになりました。正倉院には、上麻紙《じょうまし》、黄麻紙《おうまし》、色麻紙《いろまし》、短麻紙《たんまし》、長麻紙《ながまし》などさまざまな麻紙に書かれた文書が残っており、なかでも「東大寺献物帳」は正倉院宝物として知られています。楮、三椏《みつまた》といった現在の和紙原料が主流となる平安時代後期まで、麻紙は用いられていました。

大麻は天武天皇の命によって編纂された日本最古の歴史書『古事記』(712年)と『日本書紀』(720年)に登場するあまりに有名な神話、天岩戸《あまのいわと》神話にも登場します。以下、該当する箇所を一部引用します。

> 天照大御神《あまてらすおおみかみ》が天岩戸に隠れたために世界が暗黒と化した時、神々がその岩戸の前で神事を執り行なうのであるが、この時、忌部氏《いんべし》の祖先神である布刀玉命《ふとたまのみこと》が、天香山《あまのかぐやま》からとってきた真榊《まさかき》の上枝《ほつえ》に八尺勾玉《やさかのまがたま》を、中枝《なかつえ》に八咫鏡《やたのかがみ》を、下枝《しずえ》に白和幣《しろにぎて》・青和幣《あおにぎて》を取りつけて、布刀御幣《ふとみてぐら》として捧げ持ち、中臣氏の祖先神・天児屋命《あめのこやねのみこと》が祝詞《のりと》を唱え、猿女氏《さるめし》の祖先神の天宇受売《あめのうずめ》が神懸《かみがか》りとなって踊りを踊った。その時、にぎわいを不思議に思った天照大御神が顔を出し、それで世が再び明るくなったと。
>
> 『古事記』新編日本古典文学全集1(小学館)より

さて、いろいろなものが出てきましたが、どれが大麻かわかった方はいらっしゃるでしょうか。正解は、「青和幣」です。

ここに登場する忌部氏という氏族は4~5世紀、大和朝廷で中臣氏と共に占いや神事といった宮廷祭祀《さいし》を担っていました。阿波から讃岐、紀伊、出雲、伊勢、安房、上総、下総などに渡り、大麻や穀などを伝えたと考えられています。天皇を中心とした律令国家において、忌部氏は天皇の即位の大礼《たいれい》である大嘗《だいじょう》祭に際し、大麻布である麁服《あらたえ》を献上しています。忌部氏の子孫である斎部広成《いんべのひろなり》の著した書物『古語拾遺』（８０７年）には、伊勢国の麻積《おみ》の祖である長白羽神《ながしらはのかみ》に麻を植えさせて、「青和幣」をつくらせ、天日鷲神《あめのひわしのかみ》と津咋見神《つくいみのかみ》に穀木《かじのき》を植えさせて、木綿《ゆふ》から「白和幣」をつくらせたとあります。

このことから「青和幣」が大麻であり、「白和幣」が穀または楮であったことがわかります。また『古事記』のなかには、天照大御神が天岩戸を出たあと、再び岩屋へ入らぬよう、注連縄《しめなわ》を張りめぐらしたという記述も残されています。この注連縄は当時存在した丈夫な綱であることから、大麻もしくは穀だったと考えられるのではないのでしょうか。

他にも、奈良時代の地方の様子について書かれた『常陸風土記』『播磨風土記』『出雲国風土記』などには、日本各地で麻が栽培されてきたことが記されており、8世紀中頃に成立したとされる日本最古の歌集『万葉集』には、麻に関する歌が55首も収められています。主に麻栽培や麻織物の作業過程が詠まれていますが、当時の情景が思い浮かんでくるような歌をいくつかご紹介します。

・庭に立つ　麻手刈り干し　布さらす　東女を　忘れたまふな

（巻四―521・意訳：庭で収穫した麻の茎を干したり、布を晒したりと忙しく働く東国の女ですが、どうぞ忘れないでいてください）

・麻衣　着ればなつかし　紀伊国の　妹背の山に　麻蒔く吾妹
（巻七―1195・意訳：麻衣を着るとなつかしく思い出される、紀伊の国の妹背山《いもせやま》で麻の種をまいていたあの娘のことを）

・娘子らが　績麻《うみお》のたたり　打ち麻掛《そ》け　うむ時なしに　恋ひわたるかも
（巻十二―2990・意訳：乙女たちは今日も麻の糸を績み続けるように、飽きることなく恋をしている）

ちなみに、奈良時代を舞台に大麻を題材にした近年の有名な小説があります。松本清張の『眩人《げんじん》』（1980年）という作品で、8世紀の奈良にたどり着いた胡人《こじん》（イラン人）が大麻の樹脂を用いた秘薬で、聖武天皇の母親のうつ病を治療したというストーリーです。現在でいう「医療大麻」のような扱いでしょうか。これはもちろんフィクションです。他にも、かつての日本で大麻の向精神作用を用いたエピソードとして、修験道や密教系の宗教などで大麻をある種の秘儀として用いたという説なども有名ですが、こちらもそれを裏づけるような資料は残っていません。興味深い話ではあるのですが、現時点では「フィクション」や「歴史ファンタジー」と言わざるを得ません。

話を戻しまして、平安時代になると、大麻は市場で売られるようになります。『続日本書紀』には、平安京で、紡いだ麻糸や手織りの麻布が市場に並んでいる様子が描かれています。

また鎌倉・室町時代、戦国武将は大麻を重宝していたと考えられています。兜には意匠として大麻の繊維を飾り、防具の鎧帷子に麻布、馬具の手綱や紐に大麻繊維、槍の接合部分に麻糸を巻き、敵を射る弓の弦や火縄銃の火縄、下着の褌《ふんどし》にも用いられ、さらに携帯食の兵糧丸《ひょうろうがん》に麻の実、夜の明かりを灯す松明《たいまつ》に繊維を採ったあとの茎であるオガラを使っていました。

江戸時代の幕藩体制下においては、各地の大名はそれぞれの領地である程度独立した統治を維持していました。自国の物産振興を意図し、多くの藩が大麻栽培にも取り組みました。大麻は、木綿《もめん》、藍《あい》、菜種《なたね》、干鰯《ほしか》、茶、酒、材木などと並んで商品として流通し、「鹿《か》沼麻《ぬまあさ》（野州麻《やしゅうあさ》）」「岡地苧《おかちお》」「木曽麻《きそあさ》」「美濃布《みのうふ》」「雫石麻《しずくいしあさ》」「上州白苧《じょうしゅうしらお》」などの名は、全国的に知られていたそうです。

ちなみに、農家にとって穀物以外に重要だった農作物を表す「四木三草」という言葉がありますが、桑、茶、楮、漆を「四木」、生活に有用な三つの草として大麻、紅花、藍を「三草」と呼ぶようになったのもこの頃のことです。しかし江戸時代中期以降、庶民の衣服は、麻から木綿へと変わっていきました。木綿は、保温性、肌触り、加工工程が少ないという面で、麻よりも使いやすい素材であったためです。麻から木綿への移行は、社会が自給経済から、商品経済へと転換していった一つのモデルともいえます。大麻は、一年を通じての庶民の衣服ではなくなりましたが、夏の衣料や武士の礼服である裃《かみしも》として用いられ、衣料以外での利用が広がっていくこととなりました。

国策として、大麻の栽培を推進

明治時代初頭、明治新政府にとって北海道は広大な新天地であり、農業開発と移住政策に力を入れました。大麻もその対象であり、1871年には栃木県産の大麻の種子を導入して試験栽培を行い、普及のための礎を築きました。1873年、北海道の開発と北方の警備を目的とした屯田兵制度が制定されると、養蚕と大麻栽培が奨励されるようになり、その繊維の多くはイワシやニシンを獲るための漁網に加工されました。"Boys, be ambitious"という名言で知られるクラーク博士が初代教頭を務めた札幌農学校（現在の北海道大学）では、大麻栽培と亜麻栽培が正規の教科でした。現在では北海道で自生している大麻を保健所やボランティアの方々が引き抜いて処分するという報道が毎年の恒例行事のようになっていますが、ここで引き抜かれている大麻は、過去に国策として栽培されていたものの名残なのです。

当時、フランスに派遣された官吏である吉田健作が農商務省に提出した「麻紡績工場の設立意見書」には、次のように書かれています。

亜麻は日本でまだ耕作が少なく、原料が不足しているのに比べ、大麻はたくさん産出されている。また、亜麻は大麻より精細な糸ができるが、それよりも大麻の海陸軍人ならびに巡査、小吏等の夏服、又は常人用服このほか帆布、鉄道荷車の覆い、敷物、日本蚊帳、畳の縁といった用途が国家にとって重要である。結論としては、まず大麻の紡績所を設け、その後、亜麻も手がけるようにするのがよい。

この結果、1887年に北海道製麻株式会社が設立され、本州からの移住者にとって馴染みのあった大麻をまず奨励し、次いで亜麻の耕作に力を入れました。この頃農務省が中心となり、各地に農業試験場を設置し、大麻については生産統計の整備、品種改良、肥料、加工法、害虫などの栽培研究が行われました。また、農林省が1925年に発行した「日本内地ニ於ケル主要工芸農産物要覧」には、繊維作物として「大麻」、油糧作物として「大麻子（麻の実）」が記されています。大麻は、国の主要な農作物として位置づけられていたのです。また、当時は学校の教科書にも大麻の栽培方法が記載されていました。

1897年前後、全国の大麻の作付面積は2万5000ヘクタールにまで拡大していますが、以後減少していきました。その理由は、開国によって海外との貿易が盛んになり、輸入されたマニラ麻、ジュート麻、綿花が、大麻の大きな需要であった漁網や衣服に用いられたためです。

大正時代から昭和初期にかけては、大麻は陸軍の軍馬の綱、海軍の艦船用ロープなど軍需品に用いられました。太平洋戦争下においては、日本は制海権を奪われ、マニラ麻などの輸入が途絶える状況となりました。すると大麻の需要は飛躍的に増えたため、日本各地で増産計画が

『農業教科書　小学校用 下巻』(1907年)に記載された大麻の栽培方法

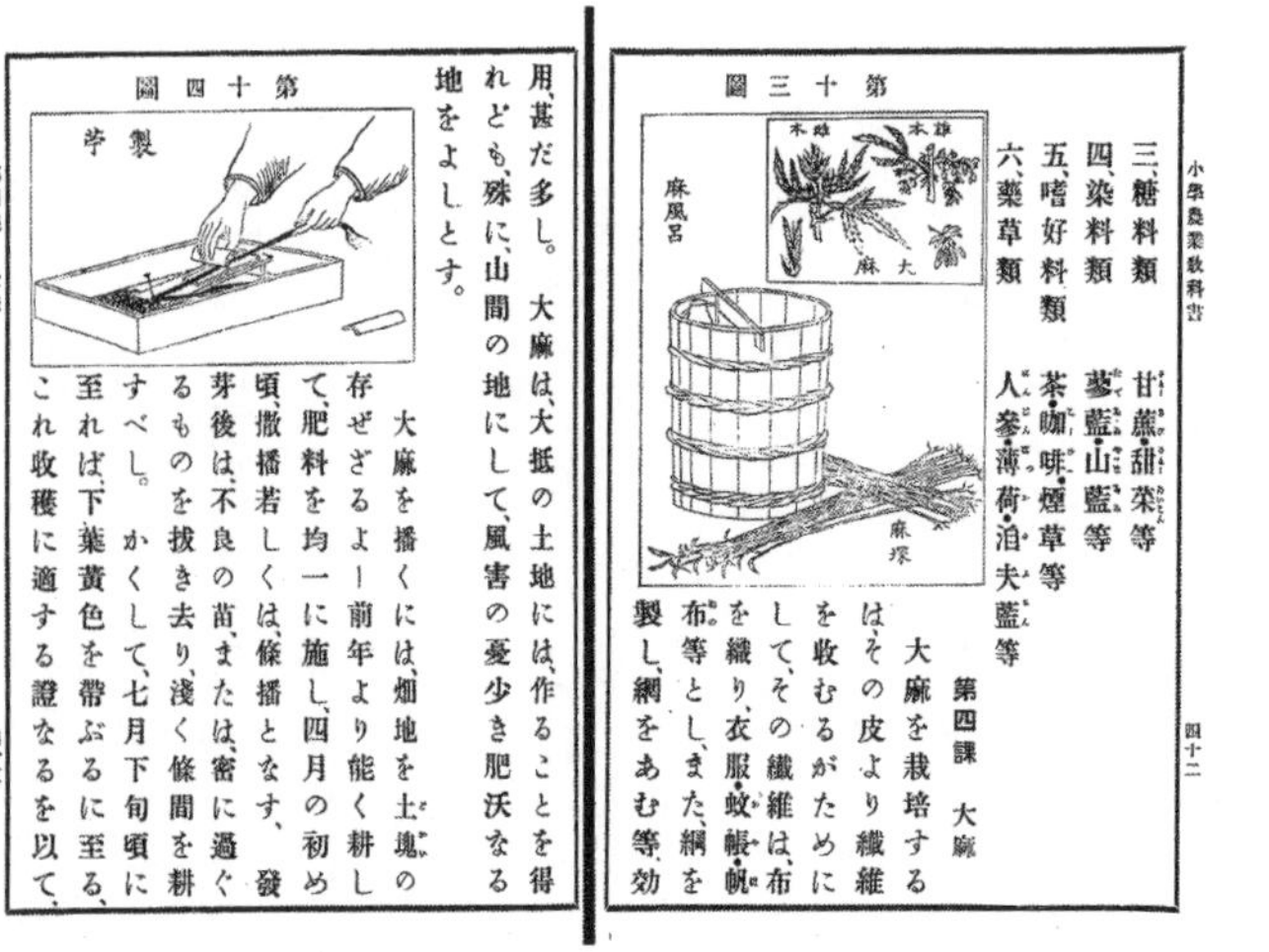
小學農業教科書

三、糖料類　甘蔗・甜菜等
四、染料類　蓼藍・山藍等
五、嗜好料類　茶・咖啡・煙草等
六、藥草類　人參・薄荷・泊夫藍等

第十三圖

第四課　大麻

大麻を栽培するは、その皮より纖維を収むるがためにして、その纖維は、布を織り、衣服・蚊帳・帆布等とし、また、綱を製し、網をあむ等、効

四十二

用、甚だ多し。大麻は、大抵の土地には、作ることを得れども、殊に、山間の地にして、風害の憂少き肥沃なる地をよしとす。

第十四圖

大麻を播くには、畑地を土塊の存ぜざるよー前年より能く耕して、肥料を均一に施し、四月の初め頃、撒播若しくは、條播となす。發芽後は、不良の苗、または、密に過ぐるものを抜き去り、淺く條間を耕すべし。かくして、七月下旬頃に至れば、下葉黄色を帯ぶるに至る、これ収穫に適する證なるを以て、

第四課　大麻

四十三

立てられるなど、紆余曲折を経ました。

そして敗戦のあと、1948年に大麻取締法が制定されました。農作物としての需要が激減するなか、1960年代には欧米を中心にベトナム戦争への反対運動などを契機としたヒッピー文化が隆盛し、マリファナ喫煙が流行。その影響は大麻を喫煙する習慣がなかった日本にも波及し、大麻には「違法な薬物」というイメージが定着することとなったのです。

The Textbook of TAIMA
for Japanese People

第 3 章

農

chapter 3

Agriculture

大麻農業とは？

「大麻畑」「大麻農業」などと言うと、「違法な薬物」というイメージを持っている方には驚かれるでしょうが、大麻の栽培は現在の日本でも続いています。また、現在「畑」や「農業」と言えば「食べるものをつくる」という印象が強いため、「大麻」という言葉との組み合わせに違和感を覚える人も多いようです。しかし、ここまで述べてきたように、大麻は身近な農作物として、長きにわたって日本人の営みを支え続けてきた「農作物」なのです。

大麻農業をするためには、各都道府県知事が発行する「大麻取扱者免許」が必要です。これは研究者に与えられる「大麻研究者免許」と農業者のための「大麻栽培者免許」の二種類に分かれており、毎年更新する必要があります。また、法律により茎と種子は合法とされ、それ以外の花穂や葉の部分は違法となっています。

１９４８年に大麻取締法が制定されたあとの１９５３年時点でも、全国に約３万７０００軒の大麻農家がいたという記録が残っています。しかし、それからおよそ70

年が経過した現在、大麻を栽培する農家は全国でわずか30数軒ほどにまで減少し、最も栽培面積が多い栃木県でさえ10数軒にまで減少してしまいました。

栃木県では現在、「とちぎしろ」という品種を栽培しています。1983年に栃木県農業試験場鹿沼分場により開発された、「無毒麻《むどくあさ》」とも呼ばれる、向精神作用がほとんどない品種です（海外で大麻についての科学的知見が日々更新される現在、「毒」という呼び方に違和感は感じますが……）。

そもそも日本に大麻を喫煙する習慣はありませんでしたが、1970年前後のヒッピームーブメントを受け、日本にもその習慣が持ち込まれました。日本でもマリファナ喫煙が広がり、日本一の生産地として知られていた栃木では、大麻の盗難事件が相次ぎました。その頃、九州大学薬学部の故・西岡五夫《いつお》名誉教授が、佐賀と大分でTHCがほとんど入っていない品種を発見。その品種と在来種を掛け合わせてつくったものが「とちぎしろ」です。栃木県では、県内の大麻農業をこの品種に統一したことで、現在も大きな柵などをつくることなく、昔ながらの栽培を続けることができています。喫煙には向かないことが周知されたため、盗難事件もほとんど起こっていません。

さらに大麻農業では、「薬物」として利用される花穂がつく前に刈り取らないと、繊維の品質が下がってしまいます。こうした点からも、大麻農業と「薬物」のための栽培は、まったく異なるものといえます。

「繊維型」の名のとおり、日本の大麻農業における主な収穫物は繊維（皮）です。茎から剥いだ皮の繊維から、さらに表皮を取り除き、研ぎ澄ました繊維を「精《せい》麻《ま》」と呼びます。かつては「食べるもの」だけでなく「着るもの」をつくるための農業が盛んに行われており、この精麻から衣料をつくっていました。また、精麻

「とちぎしろ」収穫の様子①

「とちぎしろ」収穫の様子②

は神道の儀式、大相撲の横綱、太鼓や鼓の紐、下駄の芯縄、凧糸など幅広い用途に用いられます（くわしくは第6章参照）。日本の大麻農業とは基本的に、繊維を収穫し、精麻をつくることなのです。

1937年に出版された『大麻の研究』という書籍があります。栃木でも有数の麻問屋だった長谷川栄一郎、新里宝三という二人により書かれた書物で、栽培方法から大麻に関連する文学や民俗にまで言及した「農作物としての大麻」を知る上でのバイブルのような一冊です。そのなかで、当時の商工大臣であった吉野信次は、大麻について「他に代用し得ざる長所を有す」と記しています。精麻には、

精麻

他にない輝きと強さがあり、現在もその希少性は失われていません。また、精製しない皮の繊維は「皮麻《ひま》」などと呼ばれ、畳糸、縄などに用いられます。

繊維の他に重要な収穫物は、種子、茎です。種子は「麻の実」と呼ばれ、主な用途は食料や漢方薬です（くわしくは第7章、第8章を参照）。繊維を剥いだ後の茎は「麻殻《オガラ》」と呼ばれ、主に炭や松明、お盆の行事などで用いられます。他にも、あまりよい名前ではありませんが「麻垢《おあか》」「麻屎《おくそ》」と呼ばれる、精麻にする際に取り除く表皮の滓《かす》があります。かつては綺麗に洗い、雑巾として用いたり、土壁に入れる麻スサとしたり、女性の生理用品として使われた時代もありました。

精麻は、換金を目的とする「商品作物」と、自分たちで使う「自給用」に大別されます。たとえば、栃木の大麻農業は主に商品作物・換金作物として発展してきました。銀白または黄金色で、輝きと艶があり、下に敷いた新聞の文字が読めるほど薄く、柔らかく滑らかで、長さ六尺五寸（約197㎝）に達する精麻が最良品とされ、それらの基準を満たすものほど高値で取引されます。そのため、栽培方法にもさまざまな特色があり、繊維の艶をよくするため、金肥《きんぴ》と呼ばれるシメカス（ニシンの搾りかす）や干鰯《ほしか》といった肥料が使われていました。

一方、換金を目的とせず、自分たちの家庭で利用する布などをつくるための大麻農業がありました。現在でいえば、自宅の庭やベランダで行う家庭菜園のようなものをイメージしていただけるといいかと思います。当然、資料に残されることは少なく、実態を把握することは困難ですが、日本のほとんどの地域で大麻を栽培していたと想像できます。江戸時代、会津藩の村役人であった佐瀬与次右衛門《させよじえもん》が記した「会津農書」には「尿と灰汁だけで栽培できる」と書かれており、商品作物としての大麻農業と比べ、少ない肥料で栽培されていたことがわかります。種まきから繊維にするまで、身近にある道具を用い、各家庭でさまざまな工夫を凝らしました。

大麻に関する調査を日本各地で行っていると、「庭に大麻の種をまいて、娘に帯をこしらえてやった」というエピソードを聞くことがあります。かつては、いたる所で極めて小規模な自給用大麻栽培が行われていたことが想像されます。大麻という農作物が日本人にとっていかに身近であったか、感じられる話ではないでしょうか。

麻の実

オガラ

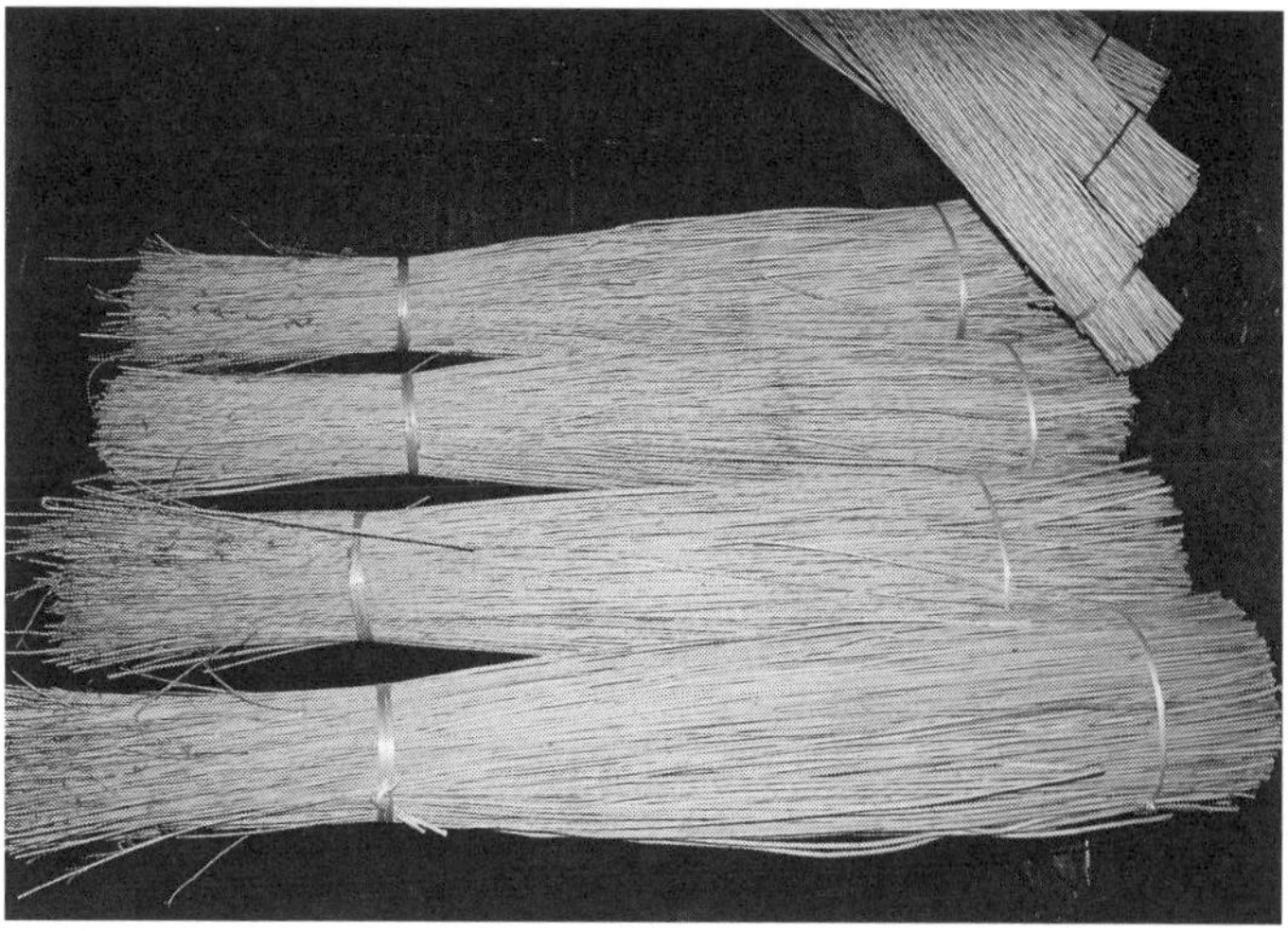

栃木と大麻農業

栃木における大麻栽培の歴史は古く、商品作物として栽培が開始されたのは弘治年間（1555～58年）と伝えられています。大正時代には主力産業として、県を挙げて大麻を調査し、品種改良もどんどん進めていました。栃木は現在、いかに高品質のイチゴをつくり、売り出し、産地間競争を勝ち抜くか、という取り組みを行っていますが、大麻もそれと同じ状況だったのです。足尾山麓一帯で生産される大麻繊維は「野州麻《やしゅうあさ》」の名で親しまれ、年配の方の話によると、子どものままごと遊びの一つに「麻ひき」があったほど、栽培が盛んでした。

大麻の栽培には山麓の傾斜地がいいとされ、冷涼多湿、強風の影響が少なく、水はけがいい、砂礫を含んだ痩せた土地が適しています。また、栽培方法はなにを目的にするかによって異なります。精麻を目的とする場合は、真っ直ぐで枝のない茎にするため、種まき密度を上げ、畝の間隔を狭くします。麻の実を目的とする場合は、株と株の間を大きく空け、太く大きく成長させます。オガラを目的とする場合は、その中間です。

それでは、栃木県鹿沼を例に、精麻を目的とする場合の大まかな流れを紹介します。まず、3月末から4月初頭に種をまきます。この間隔が繊維の品質に直結するため、一定の間隔で植えられるよう、播種機（はしゅき／はしき）という道具を用います。1882年に中枝武雄によって発明されたこの播種機があったからこそ、栃木県はクオリティーの高い精麻を生産し続けることが可能となりました。

発芽する4月中旬から5月初頭には、中耕を行います。中耕とはうね間や株間の土の表面を浅く耕すことで、丈が4～5cmのときに行う作業を「ほそがき」、10～20cmほど成長してから行う作業を「ふとがき」といいます。

このあと、5月下旬から6月初頭と6月下旬に「クズ抜き」と呼ばれる間引き作業を行い、7月中旬から8月初頭にかけて収穫します。ちなみに兵庫県豊岡市にある、ほそき神社のふもとに「おまき桜」と呼ばれる桜の古木があります。市指定の天然記念物となっている古木ですが、大麻を栽培していた時代、この木の花が咲くタイミングを大麻の種子をまく目安としていたため、麻蒔桜《おまき》と呼ばれるようになったとされています。

さて、収穫された大麻の茎は生麻《なまそ》と呼ばれ、収穫後、直ちに熱湯で茹でます。完全に乾燥させ、8月下旬から10月にかけ、茎から皮を剥ぐため水に浸します。その後、発酵させ、皮を茎から分離させます。そして剥いだ皮を「麻ひき機」という機械を用い、精麻に仕上げます。精麻は400匁《もんめ》（1・5kg）ごとに束ね、出荷します。

肥料を多く与えて育ち過ぎてしまうと繊維が太く、荒く、脆くなり、肥料が少なければ繊維が弱くなってしまうため、その微妙なさじ加減が大きなポイントです。

この大麻農業の一連の流れを描いた絵画が残されています。巻頭に掲載した「麻栄業図」（1892年）がそれです。栃木で麻問屋を営んでいた福田家に逗留していた絵師、光信による作品で、種まき、栽培、精麻に加工する様子など29工程に分け、丹念に描いています。身近過ぎたために見落とされていた営みを題材に選んだ光信は「この絵を描いたのは自分が初である」と誇らしげに書き残しています。常設ではないのが残念ですが、時期によって鹿沼市にある粟野《あわの》歴史民俗資料館で見ることが可能です。

また、栃木には大麻農業に関する痕跡が数知れぬほど残っています。代表的なものをいくつか紹介します。

播種機を使った種まきの様子

産着に麻の葉模様を用いるように、大麻は子どもの健やかな成長を願う象徴でした。そのため、日本各地の小中学校の校章や校歌のモチーフになっています。鹿沼市立永野小学校の校章は、大麻の葉をそのまま意匠として用いており、鹿沼市立上南摩《かみなんま》小学校の校章は、上南摩の文字を二つの大麻の葉が囲む意匠となっています。また、鹿沼市立北小学校の校歌は「鹿沼の里に　もえいでし　正しき直き　麻のごと」と、鹿沼市立久我小学校の校歌は「麻群は　瞳にしみて　照りかえす　久我の野辺」と歌っています。

鹿沼市にある医王寺の金堂、唐門の屋根は、かつて総オガラ葺きでした。オガラの入手が困難になったため、現在は表面部分にだけ茅《かや》が使用されているものの、分厚く敷かれたオガラは圧巻です。

また、栃木市に横山郷土館という施設があります。横山家が大麻の取引や真縄の加工で財を成してつくった店舗で、北半分が麻苧《あさお》問屋、南半分が栃木共立銀行として建てられました。麻苧とは大麻の繊維です。

鬼怒川温泉の老舗である、あさやホテルは1888年、麻屋旅館という名称で創業しました。初代の八木澤善八が麻問屋から事業を拡大し、この旅館をはじめたことから、大浴場前には麻の生産用具が展示され、館内のいたるところに麻の葉模様（くわしくは第9章

大麻をあしらった校章

屋根にオガラを用いた医王寺

参照）が見られます。

また、栃木の多くの大麻農家は裏作として蕎麦を育て、畑に残る養分を限りなくゼロに近づけた状態を維持します。これは大麻と蕎麦双方にとって良好な結果をもたらし、鹿沼周辺は蕎麦が美味しい地域としても知られています。

日本では現在も大麻農業は続いています。この事実はぜひ、多くの方に知っていただきたいと思っています。そうすることで、この日本における大麻を取り巻く残念な状況が、少しは改善するのではないかと期待しています。淡い期待かもしれませんが、私設の小さな博物館であ

野州麻の生産用具一式（重要有形民俗文化財）

提供：栃木県立博物館

る私たちだけがそのような主張をしているわけではありません。栃木県立博物館は、栃木県の重要産業としての大麻を真正面から取り上げ、１９９９年に「麻―大いなる繊維」、２００８年に「野州麻―道具がかたる麻づくり」と二度にわたり、大規模な企画展を開催しました。どちらも大きな反響があったとお聞きしていますが、二度目の「野州麻―道具がかたる麻づくり」は野州麻の生産用具一式が、国の「重要有形民俗文化財」に指定されたため、そのお披露目という形で開催されました。これは栃木県の資料として初めての指定であり、数十年前まで当たり前のように使っていた普通の農具が、保護されるべき日本の貴重な宝となった瞬間でした。

存続の危機

日本の大麻農業は現在、「存続の危機」と言って差し支えない状況にあります。その原因はさまざまですが、精麻の需要の減少、機械化が進まずに手間のかかる生産形態であること、大麻取扱者免許を取得するためのハードルが高く新規就農が難しいこと、「大麻」

という言葉への忌避感などが挙げられます。年に一度、大麻農家たちの栽培技術を向上させるために品評会が開催され、最も優秀な農家に「農林水産大臣賞」が与えられていましたが、年々参加者が減り、数年前から中止となってしまいました。

大麻農業の世界では高齢化が著しく、栃木県あさ振興連絡協議会の前会長で、大麻農家3代目の白澤義司《よしじ》さんは「鹿沼でも生産者の平均年齢が70歳を超えている状況です。天候に大きく左右され、収穫量が読めないという博打的な部分も多いため、なかなか人に勧めるのも難しいと思っています」と語ります。日本一の生産量を誇る栃木でも、高齢化と後継者不足に悩まされているのです。ただし、近年の日本の伝統的な文化の再評価や、海外の大麻の急速な動きと呼応するように、他県からも「大麻農家に挑戦したい」「麻を栽培したい」という声は数多く届いており、研修生が来たりもしています。

こうした状況のなか、2016年に鳥取県で、ある事件が発生しました。2013年に県の許可を得て、「町おこしのため」として向精神作用がほとんどない産業用大麻を栽培していた人物が、栽培していた大麻とは別のものを所持していたとして、大麻取締法違反容疑で逮捕されたのです。ちなみにこの畑には安倍前首相の夫人も訪れるなど、大麻というテーマに関心がある人々の間では話題の場所でした。

この事件を受け、鳥取県知事は「全国どこもやっていないことだが」と前置きしながら、県内で免許を一切交付しない方針を表明。その内容を盛り込んだ法案が成立し、県は大麻の栽培を全面的に禁止しました。また、厚生労働省は「大麻栽培でまちおこし⁉」と題する自治体向けのパンフレット・ホームページを作成し、元栽培者の検挙事例や栽培事業の失敗事例などを列挙して「正しい判断を」と呼びかける事態となりました。[※1]

この事件の余波は当然、栃木県にも及びました。長年栽培を続けてきた大麻農家への管理は厳しくなり、以前は可能だった畑の見学は実質不可能になってしまいました。SNSなどに大麻畑の写真を掲載しただけで、農家が管理責任を追求されるほどでした。行政にお願いする形で、免許を毎年更新する必要がある農家としては、従わざるを得ません。全国的に大麻栽培者免許が認可されづらくなったというのも、残念ながら事実でしょう。

しかし、暗い話ばかりではありません。神事に使う大麻の国産化を目指し、三重県内の神社関係者らが集まった伊勢麻振興協会は2018年、三重県から栽培免許を交付されました。これは記録が残る1989年以降、県内で初めての例だそうです。栃木とは異なり、

[※1] 大麻に関する正しい知識（厚生労働省）https://www.mhlw.go.jp/bunya/iyakuhin/yakubuturanyou/taima01/index.html

盗難防止の柵や監視カメラの設置といった管理体制が要求されたり、県外の神社に精麻の出荷を認めないといった厳しい条件下ではあるものの、新たに大麻農業を実現できた点は快挙といえます。

また、2020年9月23日の東京新聞には「厚労省の啓発ホームページに正規の大麻栽培農家が反発『誤解・偏見を助長』」と題された記事が掲載されました。これは、鳥取の事件を受けてつくられた厚生労働省の資料「大麻栽培でまちおこし!?」に書かれた「大麻栽培は重労働」「畑に入ると酔っ払ったような症状になる」などの表現に対し、日本麻振興会の理事長で、江戸時代から続く大麻農家7代目の大森由久さんや伊勢麻振興協会が疑義を呈しているという内容で、ここでは厚労省の担当者が「表現の変更を含む内容の見直しをする」という考えを示しています。[※2]

私たちは、**日本の大麻農業は現在の世界での動きを追い風に、法律や日本社会の世論などと現実的な着地点を見出すことさえできれば、存続はおろか、短期間でとんでもない発展を遂げる可能性を秘めている**と考えています。

たとえば、2014年に研究栽培を合法化し、2018年末に商業栽培を全米レベルで

[※2] 厚労省の啓発ホームページに正規の大麻栽培農家が反発「誤解・偏見を助長」（東京新聞 TOKYO WEB）https://www.tokyo-np.co.jp/article/57188

「大麻栽培でまちおこし!?」パンフレット

ご注意ください！

「大麻栽培でまちおこし！？」

～大麻の正しい知識で正しい判断～

【目次】

厚生労働省
Ministry of Health, Labour and Welfare

出典：厚生労働省ホームページ

合法化したアメリカでは、マリファナの主成分であるTHC濃度が0・3％以下の品種を産業用大麻（ヘンプ）と定義し、管轄をDEA（麻薬取締局）からUSDA（農務省）に移管しました。こうして大麻が「麻薬」から、トウモロコシや小麦と同じ「農作物」となったのです。その結果、栽培面積は増加の一途をたどっています。また、北米の新興株式上場企業を見ると、ヘンプ製品36社、農業技術19社、技術&メディア21社が存在し、有望な株式投資対象となっています（2021年4月現在）。日本でも、大麻農業が休耕地活用や地方創生における有望な選択肢の一つとなる日は来るのでしょうか。

大麻栽培の縮小は生態系にも影響を与えています。大麻は一般的に病気や害虫に強い農作物といわれていますが、「アサカミキリ」という、大麻にとっては天敵のような害虫がいます。その名が示すように麻の葉などを食べる虫で、日本から大麻が減少し続けた結果、環境省の準絶滅危惧種、いわゆるレッドデータに指定されました。古来より続いてきた大麻農業は現在、ギリギリ踏ん張っているというのが現状です。残された時間は多くありませんが、この文化を継承するために、アサカミキリと共に絶滅の危機に瀕することなく、この先も存続することを願っています。

第 4 章

衣

chapter 4

Cloth

生活の一部だった大麻布づくり

現在のようにポリエチレン、ナイロン、レーヨンといった化学繊維や安価な綿などが普及するまで、人類はさまざまな植物を用い、自らの手で衣服をつくっていました。このような、草木から糸を紡いで織った布は「自然布」または「原始布」「古代織」などと呼ばれます。オヒョウ、藤、科、葛、苧麻、芭蕉などが主な植物で、大麻もその代表的な植物の一つです。

大麻がいつから衣服として使われてきたかは、定かではありません。ただ、縄文時代前期の遺跡から大麻の繊維が出土していることから、日本列島に人類が流入してきた時点で、すでに使われていたと推測できます。

そして、弥生時代では織物として利用されていたことが明確にわかっています。弥生時代の遺跡である静岡県の登呂遺跡からは、織り機や大麻布が出土しています。また、同じく弥生時代の遺跡である佐賀県の吉野ケ里遺跡でも大麻布が出土しており、他に例がない

ほど細かい糸を用いて織り上げられていたことが確認されています
　以降、大麻布は長期間にわたり、非常にポピュラーな存在でした。江戸時代中期、生産効率のよい木綿が普及するまで、庶民の衣服といえば大麻であり、特に東北や北陸などでは庶民が使える素材は大麻がほとんどでした。日本民俗学の創始者であり、近代日本を代表する思想家でもあった柳田國男には、日本人の衣服について考察した著作『木綿以前の事』（１９３８年）があります。そのなかでは、日本では各地でさまざまな植物から衣料がつくられ、使われてきたことが紹介され、大麻についても言及されています。また、柳田國男の初の女性弟子、瀬川清子の著作『きもの』（１９４２年）には、いまは失われてしまった各地の大麻布をはじめ、さまざまな自然布についての豊富な記述が残されています。

　明治時代になると、布の生産は都市部の大規模な工場へと移行し、手間のかかる自然布は徐々に衰退していきました。しかし、農村部などでは依然として自給自足に近い生活が行われており、大麻布づくりは家事の一つとして第二次世界大戦後まで続いています。「日本の歌百選」の一つで「かあさんは　夜なべをして　手ぶくろ　編んでくれた」という歌い出しで知られる「かあさんの歌」（１９５８年）。その二番では「かあさんは　麻糸つむ

ぐ　一日つむぐ」と歌われており、この情景がいかに身近なものであったかを示しています。

また、明治時代の岩手の生活を記録した『雪国の女と麻』（1968年）によると、赤ん坊のおしめ、女たちの御腰、親父どもの褌《ふんどし》、股引き、布団や夜着、手拭い、帯など、身につける一切のものが大麻だったと書かれています。これらは当然自分たちの手でつくるもので、大麻の栽培、収穫、糸績み、機織りは、女性たちの仕事でした。7歳から糸を績みはじめ、12歳には大人と同等の技術を習得。13歳になると機織りをはじめ、16〜17歳になると農村の娘であれば誰でも麻布をつくることができ、一年に布四反を織ることができて初めて「一人前の女性」として認められたそうです。大麻を扱うことは生活の一部であり、通過儀礼のような側面もあったのでした。

ちなみに、績んだ麻糸の一部は、手で巻いて「綜麻《ヘソ》」にし、売って、家計の足しやお小遣いとしていたようです。これが倹約や内職によって内緒で貯めたお金を意味する「へそくり（綜麻繰り）」という言葉の語源です。2021年1月、NHKの人気番組「チコちゃんに叱られる！」において「へそくり」をテーマとした回が放送されました。ここに登場した「ヘソ」は、当館が提供しました。機会がありましたら、ご覧いただければ幸いです。

その後、日本でも核家族化が進んだことや大量生産による安価な製品が普及した結果、衣服は「つくるもの」ではなく「買うもの」となり、大麻布をつくる習慣は昭和50年代にほぼ消滅してしまいました。

「へそくり」の語源となった綜麻

日本各地に伝わる大麻布

いまでは珍しくなってしまった大麻布ですが、その存在を現在に伝える団体、施設などは日本各地に存在します。以下に代表的なものをご紹介します。

青森県は綿花が栽培できなかったため、大麻布を大切にしてきた地域です。
青森に生まれ、民具の調査・収集に奔走した民俗学者の田中忠三郎は、長い時間をかけて国指定重要有形民俗文化財を含む、3万点以上の骨董、古民具、衣服といった貴重なコレクションを収集しました。このコレクションには大麻布が多く含まれており、その一部は芸能プロダクションのアミューズがプロデュースを行っていた布文化と浮世絵をテーマとしたアミューズミュージアム（東京・浅草）に展示されていました。そのなかでも、寒さの厳しい地域で、穴が開けばつくろい、布の間には麻屑を入れて温かくし、という日々の積み重ねのなかから生まれた「ぼろ」と呼ばれる大麻布は、現代の私たちには新鮮に映ります。残念ながら、アミューズミュージアムは2019年に閉館となってしまいましたが、このコレクションの評価は非常に高く、閉館後も「ＢＯＲＯ」と名前を変え、海外での展示などが続いています。

岩手県の雫石町に長く伝わる麻織物「亀甲織」は、経糸《たていと》を緯糸《よこいと》に絡ませながら、六角形の鮮やかな亀甲模様を浮かび上がらせる織物です。一度はその技術が失われたものの、１９６８年に約50年ぶりに復元されました。「しずくいし麻の会」は、昔ながらの織る技を伝承し、現在に伝えています。

山形県の米沢市には、原始布・古代織参考館という施設があります。１９６０年代から日本の原始布や古代織物の復元と存続に取り組んだ山村精《まさし》が収集した衣、布、織機、編具などを展示しており、藤、苧麻、葛などの布と共に大麻布も展示されています。

宮城県の栗原市栗駒文字地区には、日本最古の染色技術である「栗駒正藍染《くりこましょうあいぞめ》」が受け継がれてきました。「正藍染」とは、大麻の栽培から糸績み、手機による織りでできた大麻の布を、自ら栽培した藍葉《らんよう》からつくった染液《せんえき》で染めるという作業を一貫して行ったものを指します。故・千葉あやのさんは1955年、正藍染の保持者として重要無形文化財（人間国宝）に認定され、正藍染は2010年、宮城県指定無形文化財に指定されました。

福島県の会津地方にある昭和村は「からむし織の里」として知られ、新潟県の「小千谷《おぢや》縮《ちぢみ》」や「越後上布《えちごじょうふ》」という織物の原料として、苧麻《からむし》を栽培しています。商品作物として苧麻を栽培した一方、大麻を栽培し、糸を績み、織物にして、自分たちが着る衣服としていました。この昭和村の様子を記録した「からむしと麻」（1988年）というドキュメンタリー映像があります。民族文化映像研究所が制作したもので、からむしと大麻の栽培から、糸、布に至る工程が丁寧に描かれています。また、からむし工芸博物館や織姫交流館では、さまざまな展示と共に糸づくりの道具なども販売されていたり、南会津町にある奥会津博物館の南郷館では、伊南川《いながわ》の漁撈《ぎょろう》用具、奥会津の燈火《とうか》用具などと共に、麻織用具と麻製品も展示されています。

群馬県吾妻郡の岩島地区には、岩島麻があります。江戸時代「上州北麻《じょうしゅうきたあさ》」と呼ばれ、その製品名である「吾妻錦《あずまにしき》」は最上級麻の代名詞でした。化学繊維の普及に伴い、一度は消滅の危機にさらされましたが、1970年代に貴重な生産技術を後世に伝えるため「岩島麻保存会」が発足されると、1992年には群馬県選定保存技術の第1号に指定されました。現在も宮内庁をはじめ、伊勢神宮、明治神宮、神社庁などへ精麻を献納している他、天皇が皇位継承に際して行う宮中祭祀、大嘗祭で用いる大麻の織物・麁服の制作にも、平成、令和と続けて協力しています。

富山県南砺《なんと》市の旧福光町は、古くから大麻を栽培し麻布を織ることが地域の大きな産業となっていました。奈良時代、医王山北麓の小矢部《おやべ》市八講田《はっこうでん》で、「八講布」または「五郎丸布」として、麻布が織られていたのが起源とされます。麻布は江戸時代、加賀藩の御用達となり、この地で栽培された大麻を主原料として糸を績み、織機に座して腰で編む「いざり機」で織ることが特徴でした。福光麻布は、昭和天皇の大葬の礼における供給を最後に絶えてしまいましたが、現在、南砺市小院瀬見《こいんぜみ》でいざり機を復刻するプロジェクトが進められています。

石川県の能登半島は「能登の里山里海」として世界農業遺産に認定されていますが、この地域に「能登上布」という伝統的な麻織物があります。原料を上州《じょうしゅう》苧《お》と呼ばれる大麻繊維に変えてからは、紺模様に品位のある織物として評価されました。大麻繊維が入手できなくなったため、苧麻に切り替えましたが、現在も能登上布会館を拠点に後継者の養成と技術の伝承を行っています。

滋賀県の彦根《ひこね》市高宮町は江戸時代、中山道の宿場町でした。ここでつくられた高宮布は、近江商人によって全国に売られ、高級織物として評判でした。明治初期の機械紡績導入などの影響で市場から姿を消し、その原料や製法が不明の「幻の高宮布」といわれてきましたが、近世麻布研究所により大麻布であったことが明らかになりました。また、鎌倉時代から続く麻織物「近江上布」は、愛知川の豊かな水と高い湿度といった環境や近江商人の活躍により発展しました。この地域には現在も紡績企業が多く存在し、ラミー糸などを使った織物の産地として知られ、近江上布伝統産業会館ではさまざまなイベントなども開催されています。

奈良県でつくられた大麻の晒し布「奈良晒《ならざらし》」は江戸時代に栄え、武士階級の衣服や反物として用いられました。フランスのパリ万国博覧会（１９００年）に出品され、銅メダルを授与された石打縞《いしうちじま》という黒地に白縞の入った帷子は有名です。織子の養成や麻布の普及にも熱心であり、１９７９年には県の無形文化財に指定され、今日も続いています。また、和雑貨や生活雑貨で人気の高い中川政七商店は、１７１６年初代中屋喜兵衛が奈良晒の商いをはじめたことが、創業のきっかけです。

長崎県の対馬では、大麻の畑を麻苗代《あさのうしろ》と呼び、稲と共に特別な作物と考えていました。大麻を栽培し、大麻地に綿の縞糸を織り込んだ「対馬麻」で労働着をつくったほか、ハレの行事において、さまざまな形で用いました。大麻だけで織られた帷子を紋付の白い礼服として、大麻の繊維を命永麻《いのちながお》と呼ばれる神様へのお供え物として、また縁組で重箱にご馳走を入れ届ける際には、末永く縁永くという意味で縁永麻《えんながお》と呼ばれる大麻の繊維を入れました。なお、２０２０年に発売され大ヒットとなったプレイステーション４用ソフト「ゴースト・オブ・ツシマ」は、元朝による日本侵攻（文永の役・１２７４年）の際の対馬を舞台としています。アメリカのゲーム開発会社により製作されたとのことですが、丹念なリサーチを積み重ね、大麻を栽培するシーンや大麻の衣服も登場します。当の日本人ですら忘れかけている文化が、ゲーム内で見事に表現されています。

日本には大麻から繊維をとる方法として、発酵方式、煮る方式、蒸す方式、水浸け方式があります。このうち、主に西日本で実施されていた蒸す方式は、大分県日田市大山町におられた国選定保存技術保持者の方によって伝承されてきました。ここでつくられた大麻繊維は粗苧《あらそ》と呼ばれ、伝統的な織り物であり、国指定重要文化財である「久留米絣《くるめがすり》」の模様をつけるための素材として、現在も使われています。

対馬麻

宮崎県高千穂町は天岩戸神話の舞台として知られています。ここで開催される「高千穂の夜神楽」は国の重要無形民俗文化財に指定されており、神楽で使用される衣装の一つである素襖《すおう》は大麻布でつくられています。また、椎葉村《しいばむら》で開催される「椎葉神楽」も国の重要無形民俗文化財に指定されており、大麻布でつくられた衣装が使用されます。古くなり、絹や綿などで新調された衣装も多いですが、大麻布でできた衣装の一つは、後述する「日本古来の大麻を継承する会」の手により修繕されました。

糸がない

大麻博物館では2001年の開館以前から、こうした大麻布について関心を抱き、長年調査を行ってきました。しかしあるとき、その存続にも関わる大きな壁にぶつかりました。それは、**大麻の布を織る技術は残っていても、その前の段階である「糸がない」**という事実です。さまざまな地域で調査や聞き取りなども行いましたが、大麻の繊維から「糸をつくる」という技術は継承されておらず、経糸緯糸ともに大麻の糸をつくるという技術については、ほとんど失われた状態でした。各地の郷土資料なども調査しましたが、同様の結果で、機織りの記録は残っていましたが、糸づくりの記述はほとんどありませんでした。生活の一部として、誰もが知っていたことなので、誰もあえて記録する必要性を感じなかったためでしょう。

加えて、大麻独特の技術的な問題もありました。原料の繊維から、糸の状態にするまでの工程を「紡績」といいます。機械による紡績は、繊維を一旦バラバラにし、細く短くなった繊維を絡ませ、糸をつくる方法です。「紡ぐ」とは繊維を引き出してヨリ（ねじり）をかけることで、「績《う》む」とは繊維をつないでいくことです。現在の繊維・織物産業において、紡績工程の機械化は必須です。しかし、大麻の繊維は非常に強く、濡れると絡まり易いといった特徴が仇となり、紡績工程の機械化が進まないまま現在に至っています。そのため、大麻の糸をつくるには「手で績む」という手段しかないのですが、その効率の悪さから、「無駄・無意味」と顧みられず、技術が失われる寸前までになっていたのでした。

その後も当館で調査を継続した結果、把握している範囲では、現在、経糸緯糸共に手績みの糸で大麻布を織れる方は、全国にわずか7人しか残っていませんでした。さらに、か

『大麻という農作物』

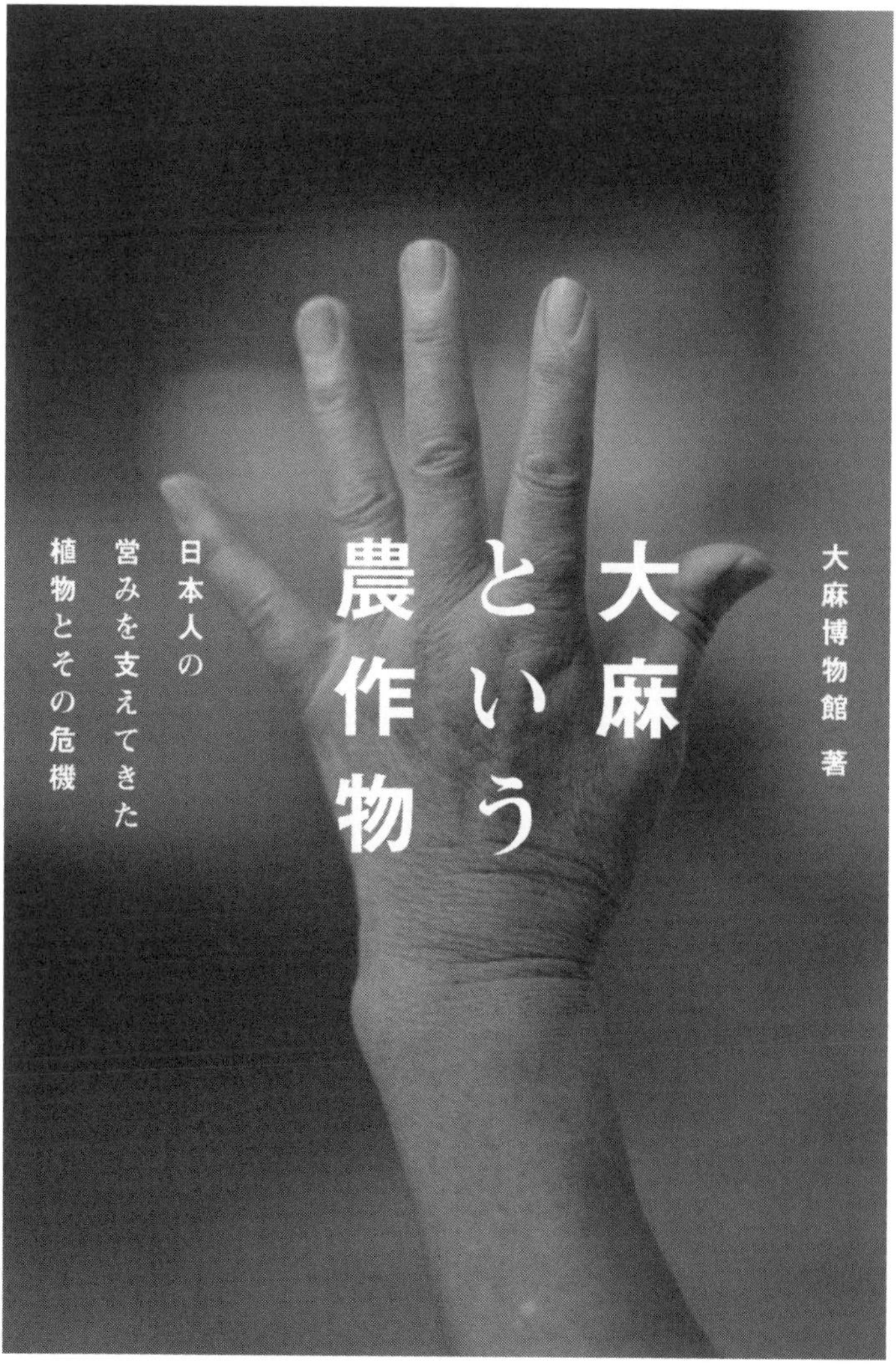

つての日本人が行っていたように、大麻を栽培し、繊維を取り出し、糸を績み、布にするという一連の技術を持った方となると、たった1人しか残っていないという状況でした。以前に大麻博物館が発行した書籍『大麻という農作物』の表紙の写真は、福島の会津地域に住む女性（1930年生まれ）の手です。これは、この長く受け継がれた技術を現在へ継承した最後の1人の手なのです。

「糸がない」という事実に危機感を抱いた大麻博物館は、この会津の女性のお宅に通い、大麻の糸について学びはじめました。糸づくりは祖母から母、母から娘へと、日々の営みのなかで自然に受け継がれたもので、人に教える方法が確立されていません。繊維が持つ特徴を発揮させる技術などは特に熟練を要するため、その習得のために私たちは約10年間修行させていただきました。

また、私たちはこの日本に古くから伝わる大麻の糸がどのような特徴を持っているのか科学的に知りたいと考え、専門機関にリネンやオーガニックコットン、海外産のヘンプと比較する繊維試験を依頼したことがあります。その結果、大麻の手績み糸は、引っ張り強さや伸び率が高く、柔らかさと丈夫さを兼ね備えた糸ということがわかりました。

私たちは個人として糸をつくる技術は習得できたのですが、技術を継承していかなければ

大麻糸の技術を今に伝える女性

繊維試験データ

試験項目	引張強さ及び伸び率試験

試験方法　JIS L1095:2010 一般紡績糸試験方法
・引張強さ及び伸び率試験
引張速度：200 mm/min　つかみ間隔：200 mm　測定回数：60回

試験結果

引張強さ及び伸び率試験

試料名	引張強さ N (gf)	伸び率(%)
①大麻手績み糸	39.5 (4028.6)	6.4
②中国産ヘンプ手績み糸	12.5 (1275.5)	2.4
③ヨーロッパヘンプ	28.33 (2890.8)	3.4
④リネン	36.4 (3713.3)	3.5
⑤オーガニックコットン	18.3 (1865.3)	7.6

試料

<< 大麻手績み糸 >>

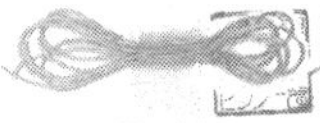

<< リネン >>

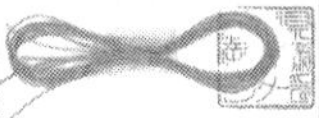

<< 中国産ヘンプ手績み糸 >>

<< オーガニックコットン >>

<< ヨーロッパヘンプ >>

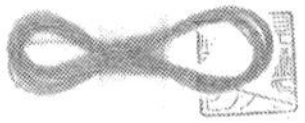

(注)試料名は依頼者の指定に基づくものである。

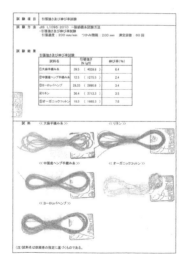

ば意味がありません。少しでも多くの方に麻糸づくりを体験してもらおうと試行錯誤していたところ、2012年から東京で「麻糸産み後継者養成講座」という講習会を開催できるようになりました。この麻糸をつくるという仕事は女性の仕事であったため、女性限定（紹介者ありの男性参加も可能）の講座となっており、現在までに日本各地から1000人を超える方々が受講しています。

糸づくりには繊細さと根気が要求されますが、受講生のなかからは、習得した技術を各々の地元に伝えるなど、この活動の輪を広げる方、大麻糸を利用したものづくりに取り組む方が出てきています。さらに、長く流通が途絶えていた大麻糸の販売、大麻糸を用いた文化財の修復に取り組むなど、さまざまな成果が生まれました。

江戸時代の画家で、「見返り美人」などで知られる菱川師宣《ひしかわもろのぶ》の「和国百女」には、麻糸を績む女性たちの様子が描かれています。講座はこの画に描かれているように和気藹々とした雰囲気ですので、ご興味ある方はぜひ一度「日本古来の大麻を継承する会」のホームページをのぞいてみてください。[※1]

また、「糸」と言えば、古くから伝わる言い伝え「運命の赤い糸」は有名です。中国の故事と奈良県にある三輪山《みわやま》に伝わる伝説の一つで、神霊と人間の姫君との恋愛物語「神婚伝

[※1] 一般社団法人 日本古来の大麻を継承する会　https://yorihime.com

麻糸産み後継者養成講座

菱川師宣の「和国百女」

説」が混ざった形で成立しているとされています。じつは、三輪山の伝説のなかでは、神とつながる糸は「麻糸」と明確に書かれています。つまり「運命の赤い糸＝大麻の糸」と言っても差し支えないわけです。

本書をお読みになってくださっている方が、失われつつある麻糸に運命を感じ、関わっていってくださったなら、大変うれしく思います。

機能性自然素材として

さて、この大麻の糸で織った大麻布とは、どのような布だったのでしょうか。糸づくりの継承にはある程度目処がついたとはいえ、手仕事であるため、新しい大麻布はほとんど出回っていません。しかし、かつて広く普及していたことから、古布という形で見つかることがあります。

「麻」と言えば、夏のスーツをイメージする方も多いと思いますが、これは大麻の布ではありません。第1章でくわしく述べたように、「麻」という言葉は植物繊維の総称として使われており、リネンやラミーの布です。また、同じ大麻が原料であることから「ヘンプ（産業用大麻）でしょ?」とよく聞かれますが、日本人が長く受け継いできた大麻布とヘンプの布はその性能や質感など、さまざまな点で違いがあります。どちらがよい、どちらが悪いという話ではなく、海外から輸入されるヘンプの布とは、植物が育つ気候風土や栽培方法などが異なり、さらに糸にする紡績工程が決定的に異なります。

海外のヘンプはなるべく手間をかけないよう栽培しますが、日本の大麻栽培は、優れた繊維とするために入念な栽培管理を行い、精麻にする際は不純物を徹底的に取り除きます。ヘンプは機械紡績であり、繊維の構造を一旦バラバラにしますが、日本の糸づくりでは大麻が生えていたときの天地の向きを変えることなく、手作業で繊維を延々とつないでいきます。これは繊維の構造が太陽の方向に強い性質があるためです。また、繊維は植物が生きるために必要な栄養や水を通すため、中が空洞のチューブ構造です。これらの性質を生かすことで、より強く優れた糸を実現しています。大麻布の主な特徴は、次のとおりです。

①柔らかい：ある程度使い込むと綿と見分けのつかない質感で、肌着としても使えます。固い布と思われている原因は、その他の「麻」と混同しているためです。

②丈夫：摩擦や引っぱりに極めて強く、耐久性があり、この性質から漁網や釣り糸としても利用されました。合成洗剤を用いて洗濯機で洗っても問題なく、直射日光にさらされる環境でも劣化しません。

③早く乾き、蒸れない：チューブ構造であるため、繊維内に水分を保持し、蒸気として発散します。このため、濡れた大麻布を身につけても肌にストレスを感じません。

④夏涼しく、冬暖かい：相反する性能のようですが、これもチューブ構造と関係しています。暑い夏は汗などの水分を発散するため、気化熱を奪い冷やしてくれます。寒い冬はそのチューブ構造内に体温で温められた空気を保持し、温度を保ちます。麻は夏のものと思われがちですが、厳冬期に山に入るマタギの服としても使われていました。

他にも、特に質のよいものは使うほど白く光沢が増していく点、江戸時代の火消しが着ていた火事場装束がすべて大麻製だったほど火に強い点も特徴です。欠点としては、重いこと、腐食に弱いことが挙げられます。近年「ゴアテックス」や「ヒートテック」といった素材を「機能性新素材」と呼ぶことがありますが、日本の気候風土に適した大麻布は「機能性自然素材」と呼んで差し支えない性能を備えているのです。

以上から、私たちは大麻布は他に類を見ない素晴らしい機能性を持った布だと確信しています。より多くの方々に使ってもらい、その性能を実感していただきたいのですが、手仕事による糸づくりであるため量産は難しく、価格も高くなってしまいます。しかし、手仕事による大麻布ほどのものは難しくても、それに近いクオリティの工業製品が実現できれば、広く普及できるようになるのではないかと考えています。

じつは過去に、大麻布生産の機械化を目指した例がありました。1890年に開業した、渋沢栄一が創業に関わったことでも知られる下野麻紡織《しもつけあさぼうしょく》会社は、栃木の特産品であった大麻の衰退に危機感を持ち、近代的製麻工業を目指していました。しかし試行錯誤の結果、紡績に向かない素材であるという結論に至り、大麻を使うことを諦め、亜麻に切り替えています。

こうした例からも明らかなように、やはり問題は紡績工程にあります。繊維試験では、手で績んだ大麻糸は他の繊維と比べ、伸び率が高いという結果が出ています。これは織りやすいということなので、紡績工程の機械化が実現すれば、布にすることは難しくありません。紡績工程において、大麻が生えていたときの天地の向きを変えず、チューブ構造を壊さない形で繊維をつないでいくことが可能となれば、高品質な大麻布になるはずです。現在のテクノロジーを用いれば、新たな生産方法の開発は決して不可能ではないと期待しています。

大麻布が、日本オリジナルの付加価値の高い布として、今後も存続し、発展していくことを願います。

下野麻紡織会社の工場跡

第 5 章

宗教

chapter 5

Religion

神道における大麻

「神道」とは、現世を重んじる日本固有の宗教で、絶対神・教義・経典・教祖を持たないことが大きな特徴です。森羅万象の霊性に神霊を見出し、「八百万《やおよろず》の神」[※1]が信仰の対象であり、アニミズム・自然崇拝・祖霊信仰といった世界中にあった古い信仰の形が脈々と受け継がれています。神道の起源は定かではなく、古墳時代から飛鳥時代にかけて、現在につながる様式が成立したと推察されています。その神道に欠かせない素材として、精麻がさまざまな面で用いられています。

「神社仏閣」などと一括りにすることも多いですが、神社とお寺はもちろん別のもので、大陸から伝来した仏教の施設がお寺、神道における八百万の神を祀る施設が神社です。神社は日本全国に8万社以上あり、これは大手コンビニ上位7社の店舗数を合計した5万2000店や郵便局2万4000局(共に2016年)を大きく上回る数で、その広がりがわかります。家庭や店舗、工場、事務所など多くの場所に神棚があることも、神道が根づいている証といえるでしょう。

[※1]「八百万」とは「無限に近いほど多いこと」を意味する。

また、他の宗教との大きな違いとして「清め」に重点を置いている点が挙げられます。神社の入り口にある手水舎《ちょうずや》で、手や口を漱《すす》ぐのも清めです。神様に喜んでいただけるよう、美味しいものを供えたり、舞や楽曲を捧げたりということは他の宗教も行いますが、神道では神様にお越しいただく前に自らを入念に清めることが大切と考え、そこに本質があるとさえいわれます。

日本人は「日々の暮らしのなかで、知らず知らずのうちに不幸の原因となるものを身につけてしまう」と考えてきました。神道では禊《みそぎ》、祓《はらえ》といった儀式を行うことで、目に見えない不幸の原因を清め、清浄無垢な心身に還るとしています。

神道には大きく分けて二つの清めがあります。一つは先述した身体を水で洗い漱ぐ清めです。大きなお祭りなど、特に強い清めが必要な際は、海の塩水で禊を行うのですが、清めの塩はこれに由来しています。そしてもう一つの本質的な清めを行うものが、大麻の繊維、精麻です。神職の方が棒状の祓串《はらえぐし》を左、右、左と振る動作を見たことがあると思いますが、この棒には稲妻型をした紙の紙垂《しで》と共に、強い清めの力を発しているとされる精麻が結んであり、この二つの清めを行った清浄な姿でなければ、神様の前に出てはいけないとされています。

なお、この大麻を振る作法は、のちに成立したものです。平安時代前期に編纂された『古今和歌集』に「おほぬさの引手あまたに成ぬれば」とあるように、元々は人々が大麻の繊維に触れ、曳《ひ》き撫でることが清めでした。ほとんどなくなってしまった作法ですが、伊勢神宮では現在も拝殿裏に大きな精麻の束が下げられており、神楽殿に入る神職たちはその束を抱えるように曳き撫で、身を清めるそうです。この精麻の束は一般には公開されておらず、正式な名称は不明なのですが、通称「ネギボウズ」と呼ばれているそうです。

大麻は神道において、「オオヌサ」と呼ばれます。「オオ」は「立派な」という意味で、「ヌサ」は「幣」の字を用いることもあり、「神様へのお供え物」を意味します。『皇學館大学神道研究所紀要』によると、大麻《オオヌサ》は、神前へのお供え物「幣帛《へいはく》」であり、供えることで御魂《みたま》・霊威《れいい》が付着し「神体《しんたい》」、御祓いを祈る祓いの具「祓具《はらえぐ》」となり、神宮の祈祷を執り行うものであるため、神宮を「象徴」するものとされています。

また、神に対して唱える言葉、祝詞《のりと》の一つ大祓詞《おおはらえのことば》には、「天《あま》つ菅麻《すがそ》を本刈《もとか》り断ち末刈《すゑか》り切りて八針《やはり》に取り辟《さ》きて」という一文があります。「清らかな麻の根本と末（先端）を刈り切り、その真ん中のよいところを取って、針のように細かく裂いて」という意味で、

祓串

大麻の茎を収穫し、繊維を指で引き裂いたものを大幣に使うことが描写されています。

神宮大麻、麁服、横綱

神道と大麻の関わりは非常に深く、この事実はもっと知られていいのではと常々考えています。ここでは、代表的な例をいくつかご紹介します。

第1章でも引用しましたが、『広辞苑 第七版』による「大麻」の項目では、一つ目の定義として「伊勢神宮および諸社から授与するお札」と書かれています。「お伊勢さん」などと呼ばれ、古くから日本人に親しまれてきた伊勢神宮は、正式には単に「神宮」と呼び、皇室の祖先神である天照大御神《あまてらすおおみかみ》をお祀りする内宮《ないくう》、衣食住をはじめ産業の守り神である豊受大御神《とようけのおおみかみ》をお祀りする外宮《げくう》をはじめ、125の宮社《ぐうしゃ》のことを指します。

その伊勢神宮が頒布する神札《おふだ》を「神宮大麻」といい、毎年なんと800万体を超える神札が全国の神社を通して配られています。初詣などで、居住する地域の氏神さまにお参りに行った際、「大麻あります」というような張り紙が見つかると思いますが、それは神宮

神宮大麻

大麻のことです。「日本人にとっての大麻とは、第一義にお札である」という事実を知れば、大麻という言葉への印象も変わるのではないでしょうか。

なお、この神宮大麻は平安時代末期から江戸時代にかけて、御師《おし》と呼ばれる、伊勢神宮から派遣された神職が領民の願いを伊勢神宮に取り次ぎ、祈祷の証として「御祓《おはらい》大麻」を配布したことがはじまりです。千度祓い、万度祓いとも呼ばれるお祓いを行った祓串の中央（御真《ぎょしん》）には、願いが籠ると考えられ、御真には大麻の繊維が巻かれていました。現在もある神宮大麻の一つで、剣先の形をした剣《けん》

剣祓大麻

祓大麻《はらいたいま》は、御真を和紙で大切に包んだ当時の姿を伝えています。御師と呼ばれた神職たちは平安時代末期以降、全国に大麻を配り、伊勢信仰を広めていきました。家に神棚を設けるようになったのは、この大麻を祀るためだったといわれています。

皇位継承に際して行う宮中祭祀、大嘗祭においても、大麻は重要な役割を果たします。2019年5月1日、元号が令和となりましたが、この皇位継承の際にも大麻は用いられました。大嘗祭とは天皇陛下が即位したときに初めて行われる新嘗祭《にいなめさい》のことです。新嘗祭は収穫祭にあたるもので、天皇が感謝を込めて新穀を神々に奉ると共に、自らも召し上がるという行事です。

大嘗祭は元々、毎年実施する新嘗祭と区別されていませんでしたが、7世紀中頃から区別されるようになり、その後一世に一度行われる、極めて重要な皇位継承儀式となりました。内乱期などは一時的に途絶えることもありましたが、令和の大嘗祭まで継続して行われています。この大嘗祭における供物を由加物《ゆかもの》といいます。平安時代中期に編纂された『延喜式《えんぎしき》』では、特定の地域から貢進される海の幸、山の幸、容器類、神衣を詳細に定めており、神衣には三河国（愛知）からの繒服《にぎたえ》（絹布）、そして阿波国（徳島）からの麁服（大麻布）があります。神道における神の衣は、絹と大麻なのです。麁服は特別扱いされており、大嘗祭当日まで宮中祭祀の長を務める神祇官《じんぎかん》預かりのものとされ、三種の神器の一つである八咫鏡《やたのかがみ》が安泰されるという畏れ多い場所に保管されます。また大嘗祭当日、麁服は繒服と共に第一の神座に供えられます。

阿波忌部氏の末裔である三木家の文書によると、亀山《かめやま》天皇（1260年即位）から光明《こうみょう》天皇（1338年即位）まで、麁服の貢進が行われていたと記録されています。その後は途絶えていましたが、1915年の大正天皇即位の際に復活し、平成および令和の大嘗祭では群馬と栃木

令和の大嘗宮の会場

の農家が協力し、徳島で大麻を栽培、収穫し、奈良の方々が糸づくりから機織りを行い、麁服四反を製作しました。

なお、伊勢神宮では、毎年5月と10月の14日に神御衣《かんみそ》祭が行われ、神様の衣として、和妙《にぎたえ》と呼ばれる絹布と、荒妙《あらたえ》と呼ばれる麻布などが奉られます。神宮は自給自足を旨としているため、神服織機殿神社《かんはとりはたどののじんじゃ》で和妙を、神麻続機殿神社《かんおみはたどののじんじゃ》で荒妙をつくっています。読み方は同じですが、こちらは大嘗祭の麁服とは異なるものです。

また、**「横綱」が大麻でできている**という点は声を大にして言っておきたい事実です。意識することは少ないかもしれませんが、国技である大相撲は神事です。横綱はもちろん大相撲の最高位の称号ですが、その語源は横綱だけが腰に締めることを許されている白麻製の綱の名称に由来します。この白麻とは大麻の繊維のことです。国技の最高位の証が大麻の繊維であるという事実は、かつての日本人にとって大麻がどのような存在だったかを知るうえで非常に示唆的です。

横綱は周りが晒《さらし》木綿の布で覆われていますが、なかには3本の綱状になった大麻の繊維がねじり合わさった状態になっており、一度に10kg以上の大麻の繊維が用いられることもあるそうです。1月、5月、9月と東京場所の前に年に三度、横綱をつくる「綱打ち」が行われるのですが、このなかに「麻もみ」という行程があります。ヌカで麻を揉み、柔らかくほぐしていく作業で、テレビや新聞などでも毎年のように報道されます。この報道を見るたびに「麻」でなく「大麻」と言ってくれれば、イメージも変わってくるだろうと残念に感じます。

ちなみに、大麻に含まれる向精神作用を持たない成分CBDのオイルなどを販売しているメイヂ食品さんのテレビCMには、第72代横綱の稀勢の里関（荒磯親方）が登場し、ストレートに「大麻」という言葉を使っています。インパクト大です。

他にも、地鎮祭などで行われる切麻《きりぬさ》というお祓いでは、精麻を細かく切ったものを塩や米と共に撒きます。ガランガランと鈴を鳴らす縄（鈴緒、鈴縄）や巫女の髪を結ぶ紐、物忌み[※2]のしるしとして頭部につける木綿鬘《ゆうかずら》の紐、神前に捧げる稲穂などを結ぶ紐にも大麻を用います。ちなみに、神社の注連縄《しめなわ》が大麻であるという話をよく耳にしますが、これは正確ではありません。「神道辞典」などでも、注連縄は藁《わら》であると明記されています。歴史の章で取り上げた「天岩戸神話」に登場する注連縄は大麻と考えられていますが、そ

[※2] 一定の期間中、ある種の日常的な行為をひかえて、穢れを避けること。

横綱

れと一般的な神社で用いられる注連縄を混同しているのだと思います。

各地の神社にも大麻とのつながりは見つかります。宮城県仙台市にある青麻《あおそ》神社は、社家の祖先がこの土地の人々に麻の栽培を教えたことが名前の由来とされ、神紋《しんもん》［※3］が麻の葉になっています。茨城県行方市麻生《あそう》には大麻《おおあさ》神社があり、大麻栽培が盛んな地域だったという記録が残されています。千葉は「総《ふさ》の国」とも呼ばれ、『古語拾遺』には大麻を植えたところよく育ったため、麻の別名である「総」と名づけられたという説話が残っています。そのため、麻の葉文様を社紋に用いる麻賀多《まかた》神社や安房《あわ》神社など所縁ある神社が多く存在しています。徳島県にある大麻比古《おおあさひこ》神社は、地元の人々に「大麻《おおあさ》さん」と親しみを込めて呼ばれる県内一の大社です。大麻や梶、楮の種をまき、麻布をつくり、郷土の産業の基を開いたとされる天太玉命《あめのふとだまのみこと》を「大麻比古大神《おおあさひこのおおかみ》」と呼んで祀ったのがはじまりであるとされ、神紋は麻の葉紋となっています。また、同じく徳島県の忌部神社は、天太玉命と関わりの深い阿波忌部氏の遠祖である天日鷲命《あめのひわしのみこと》を祀っています。大麻を植え、郷土の産業を興しており、その神徳を称えて「麻植神《おえのかみ》」と呼ばれています。

［※3］神社に縁深い神木などの植物、祭器具、伝説や伝承、祀られた人物の家紋などを象った神社の紋章。

鈴縄

ゆうかずら

失われつつある国産の大麻

ここまで述べてきたように、神道の世界において大麻は非常に重要な存在であり、現在も多くの場面で用いられます。では、なぜ大麻はこうした役割を果たすようになったのでしょうか。

清めを行った清浄な姿でなければ、神様の前に出てはいけないと考える日本人は、神様は「清らかさ」のなかにいるという確信を持っていたのでしょう。化学繊維などがなかった時代、大麻の繊維が持つ白々とした輝きは神道が理想とする「清浄」のイメージと近く、身にまとい、触れることで神様とのつながりを感じたのかもしれません。伊勢神宮の権禰《ごんね》宜《ぎ》[※4]を務めたあと、國學院大学で教鞭をとられた神道学博士の中西正幸先生は「神道は永遠に麻（大麻）を尊重していくと思います。麻は神道の基盤とも言えるもので、そろそろ絹に変えましょうという訳にはいきません。取り替えがきかない存在なのです」とおっしゃっていました。

[※4] 神職において最も一般的な職階。宮司、権宮司《ごんぐうじ》、禰宜《ねぎ》の指示を受けて社務に従事する。

しかし現在、神道における大麻について、懸念点がいくつかあります。一つは神事で用いられる大麻の繊維、精麻の多くが日本でつくられたものではなく、中国などからの輸入材になっているという点です。その理由は、国内の大麻畑が減少したため、国産の精麻が入手しづらいことと、輸入材と比較すると国産の価格が高いことが挙げられます。輸入材は気候風土や栽培技術の違いから、繊維が切れやすいなど問題も多く、清々しさがありません。さらに近年は、国産ではないどころか大麻ですらなく、化学繊維やビニールなどを精麻の代わりとして用いているケースを数多く見かけます。神社は氏子さんたちの寄進で成り立っているため、コストを削減したいという思いは理解できますが、神道における大麻の役割を考えれば、これらは本末転倒といえるのではないでしょうか。たとえば、清めの塩の原料が割高であるという理由でプラスチックの粉に変わっていたら、なにか大切なものが失われていると感じざるを得ません。

そしてもう一つ、大きな懸念があります。それは、近年の「スピリチュアル」の流行です。物質的な価値だけでなく、精神的な価値を見直そうという流れはもちろん悪いことだとは思いませんが、詐欺に近いような行為が多く行われていることも事実です。精麻が神事で使われているという事実に、根も葉もない「ありがたい話」を混ぜることで、高額で売るといったものや、精麻を使ったマッサージでヒーリングするといったまったく意味がわからない商売もあります。当事者同士が納得していれば、それでいい話なのかもしれませんが、あまりにも無茶苦茶です。大麻について、このように荒唐無稽な話が広がっていくのは、笑って済ますことができません。

江戸時代、神職であり医者でもあった河崎延貞《かわさきのぶさだ》が記した『蟄居紀談《ちっきょきだん》』には、病床の人物が大麻を抱いて、拝みながら息絶えたと記されています。死ぬ間際ですら、大麻に清浄《しょうじょう》を求める過去の日本人の強い思いに驚かされます。大麻という言葉に忌避感を持っている現在の日本社会ですが、神道における大麻について少しでも多くの方々に「正確に」知っていただきたいですし、神職の方々には日本が誇るべき農作物としての大麻が置かれている危機的な状況について興味を持っていただきたい、と切に願います。

仏教における大麻

日本社会において、神道と並び大きな存在である仏教は約2500年前のインドで誕生し、538年に日本に伝来しました。[※5] 日本の仏教は土着の信仰である神道と融合し、一つの信仰体系として再構成された、インドとも中国とも異なる独自のものとなっています。これを「神仏習合」といいます。神道において重要な存在であった大麻は神仏習合の影響もあり、精麻を幣束《へいそく》[※6]につけたり、如来の精神や智慧を表す五色の布を結える際に用いたり、法衣に使われたりと、仏教の世界でも大切な存在として用いられています。いくつか、その関わりをご紹介します。

7世紀から8世紀頃の奈良時代、仏教と共に伝わった仏像の制作において、乾漆《かんしつ》技法が盛んに用いられました。国宝の奈良興福寺の八部衆《はちぶしゅう》と釈迦十大弟子、唐招提寺《とうしょうだいじ》の鑑真和上《がんじんわじょう》像はこの技法でつくられたことが知られています。乾漆とは粘土で形態の粗づくりをし、大麻の布に漆をつけたものを何層にも積み重ね、中の彫刻を抜いて制作するという手

[※5] 552年という説もある。
[※6] 和紙を作法に従って切り、開いて折って様々な形にしたもの。神仏の前に立てたり、吊り下げたりする。

法です。石造、木造、鋳造などの技法でつくられた仏像と比べ、軽量で耐久性に優れていたため、持ち運びができ、戦乱や火災から逃れることができたとされています。

夏のお盆は、仏教の代表的な風習として日本各地に根づき、先祖や亡くなった人たちの精霊《しょうりょう》が灯かりを頼りに帰ってくるとされています。7月13日の夕刻、仏壇や精霊棚の前に盆提灯《ぼんちょうちん》や盆灯籠《ぼんとうろう》を灯し、庭先や門口でオガラを焚きます。これが「迎え火」です。14日と15日、精霊は家にとどまり、16日の夜、家を去ります。このとき、迎え火と同じ所にオガラを焚き、帰り道を照らして霊を送り出す。これが「送り火」です。この時期のスーパーマーケットやホームセンターへ行くと、お盆用品のコーナーに花などと並んで、かなりの確率で「お盆用オガラ」が販売されています。販売している方も購入されている方も、オガラを大麻の茎だとは認識していないかもしれませんが、一度知ってしまえば「このスーパーでも、あのホームセンターでも大麻を売っている」と非常に不思議な気持ちになるのではないでしょうか。

また、お盆に飾る精霊馬《しょうりょううま》はよく知られています。先祖を早くお迎えしたいという思いから、足の速い馬に見立てた「胡瓜の馬」や、名残惜しいという思いから、足の遅い牛に見

スーパーで売られるオガラ

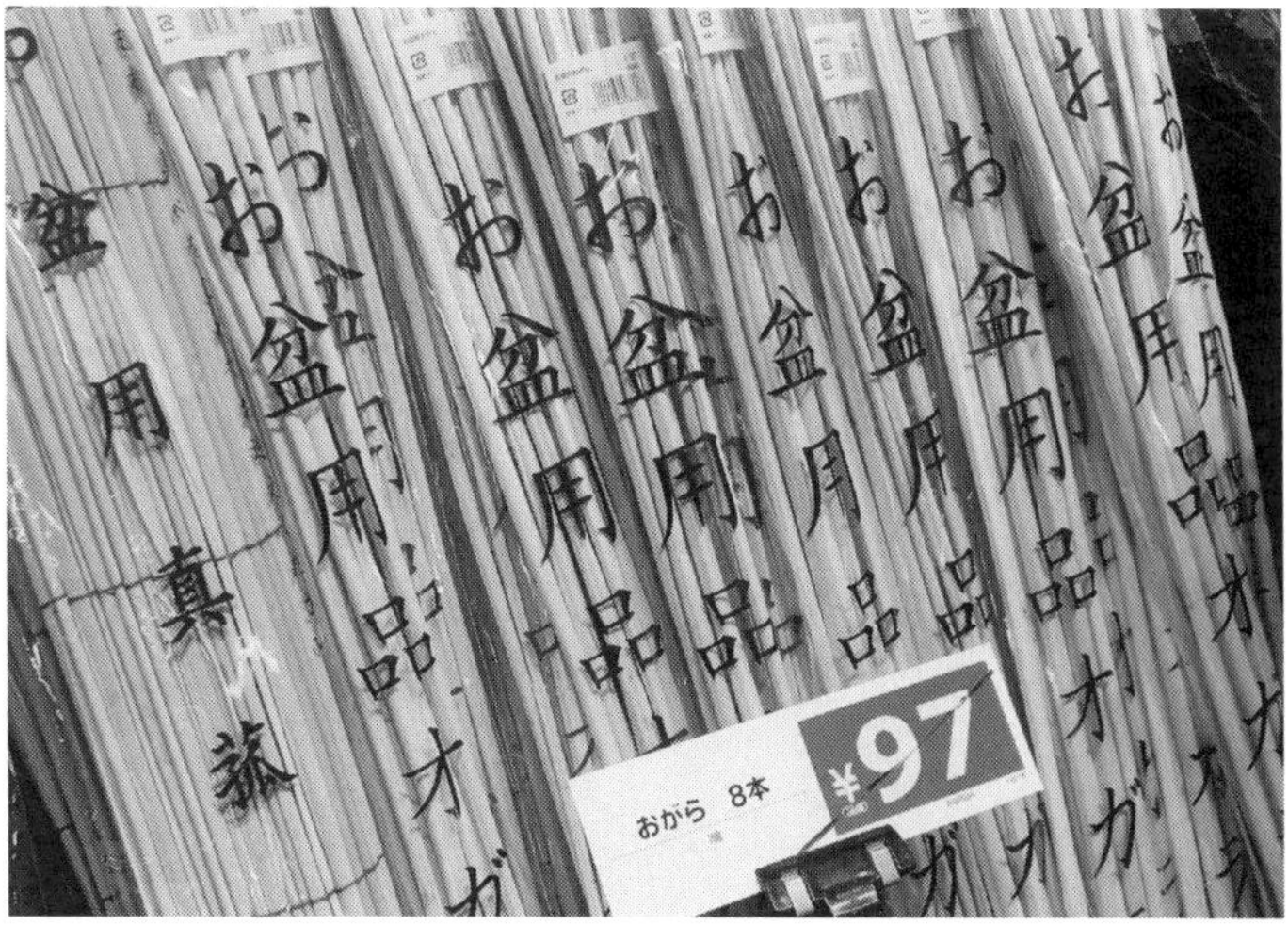

精霊馬

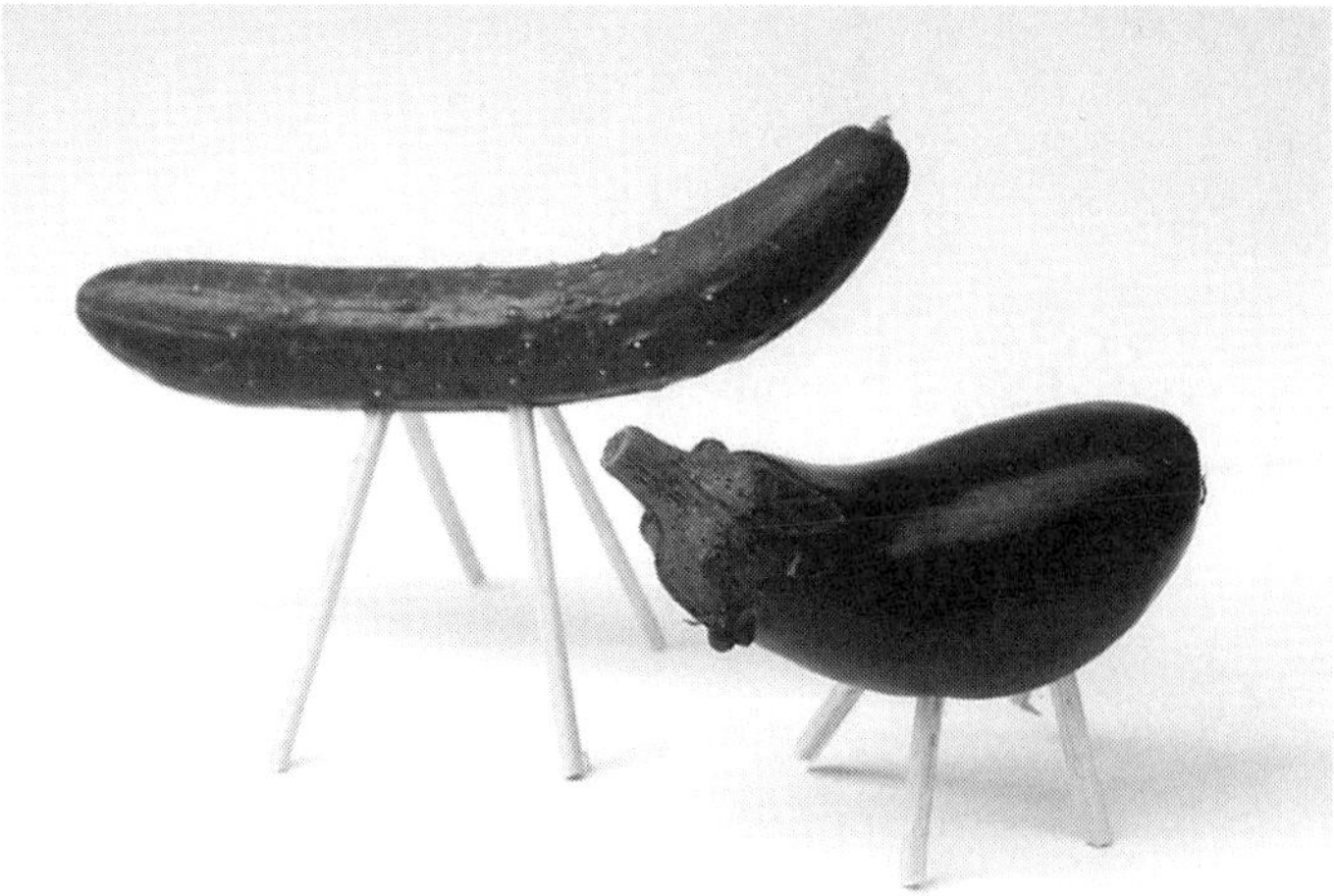

立てた「茄子の牛」の足に4本のオガラを使います。現在、割り箸などで代用することも多くなっていますが、本来はオガラを用いました。先祖や亡くなった人たちの精霊は、足をオガラにした胡瓜の馬、茄子の牛で冥土と現世を往復するのです。

仏教のなかで「麻」といえば、禅問答における「麻三斤《まさんぎん》」が有名です。10世紀の中国、ある僧が洞山《とうざん》和尚に「仏とはなにか？」と尋ねたところ、和尚は「麻三斤」と答えました。中国の仏教書であり、禅宗の語録である『碧巌録《へきがんろく》』に書かれたやりとりはこれがすべてで、非常に短いです。和尚が暮らしていた湖北省襄州《じょうしゅう》地方は大麻の産地として知られており、三斤あれば僧侶の衣服を一着仕立てることができたそうです。この禅問答にはさまざまな解釈があるとされますが、「一着分の衣のできる材料はちゃんと揃っている。それは仏のために用意してあるのだ。それを衣に仕立てて仏に着せてやれるのは誰か。それができたら、その人は仏の同参（修行する同学の仲間）である」という解釈や「麻はどこにでもある、ありふれたものであり、仏はどんなものにも見出すことができる」という解釈などがポピュラーです。「麻三斤とは、マリファナを三斤吸った状態のことだ」と真顔で話している人を何人か見たことがありますが、くれぐれもご注意ください。違います。

また、大麻は修験道《しゅげんどう》でも用いられます。修験道は「山へ籠もって厳しい修行を行うことにより悟りを得る」ことを目的とする日本古来の山岳信仰が仏教に取り入れられた、日本独特の宗教です。その実践者を「修験者」や「山伏」といいます。修験道では供物を仏に捧げるため、火に投げ入れる「護摩焚き」という宗教儀礼を行いますが、『五種護摩軍荼記《ごしゅごまぐんだき》』によると、護摩焚きには五穀の一つであった麻の実も供物として使われたとされています。また、修験者が修行の際に食べたとされる精進料理の一種、飛龍頭（ひろうす・がんもどき）には麻の実が入っていました。豆腐をつぶし、ニンジンやレンコン、ゴボウなどと混ぜて油で揚げた料理で、現在でもよく知られています。

本章で見てきたように、日本社会において大きな存在である神道や仏教の世界でも、大麻は重要な役割を果たしてきました。大麻が日本人のアイデンティティーと密接に関わっているという事実は、少しでも多くの人に知っていただきたいと思います。

〈特別寄稿①〉

日本でも大麻は「エッセンシャル」な存在となるか

佐久間裕美子さん［ライター］

1973年生まれ。慶應義塾大学卒業、イェール大学大学院修士課程修了。1998年よりニューヨーク在住。出版社、通信社などでの勤務を経て2003年に独立。カルチャー、ファッションから政治、社会問題まで幅広いジャンルで執筆中。著書に『真面目にマリファナの話をしよう』(文藝春秋)、『Weの市民革命』(朝日出版社)などがある。

国際的に再評価が進む大麻ですが、その市場規模はアメリカでは「グリーンラッシュ」と呼ばれるほどの急成長を遂げ、セレブやシリコンバレー企業も次々に参入しています。合法化以降のアメリカにおける大麻事情、海外からみた日本の状況について、ニューヨーク在住のライター・佐久間裕美子さんにお聞きしました。

アメリカにおける大麻合法化の歴史

アメリカの大麻合法化をどこから語りはじめるか、毎回悩ましいところです。1920〜30年代からも話せるのですが、「医療目的」の大麻合法化運動の話となると、やはりボブ・C・ランドルさん（Bob C.Randall）らの運動が一つのターニング・ポイントではないでしょうか。彼は1976年の法廷で、「緑内障の症状悪化を抑えるために大麻を使う必然性がある」と主張し、連邦政府は治験薬のコンパッショネート・ユース・プログラム[※1]を開始し、ランドルさんを含む患者の方々に大麻の吸引を許可しました。これがアメリカの「医療大麻合法化運動」のはじまりといえるでしょう。

アメリカは国民皆保険制度がなく、HIVなどの治療においても連邦からの支援が極端に少ないなか、「補完代替的な方法である大麻」の医療利用が受け入れられやすかったという背景もありました。その後、研究が進んで医学的なこともどんどん明らかになり、深刻な疾患を抱えた患者とその周りのコミュニティ、大麻の医療効果を信じた市民たちの民意によって、大麻の合法化運動は盛り上がりを見せます。カリフォルニア州では1996年に「大麻の医療利用」（いわゆる医療大麻）を合法化しています。

もう一つの大きな動きは、リーマン・ショックからの回復をかけて経済的動機によって推進された嗜好用大麻の解禁です。こちらはコロラド州で住民投票にかけられ、2014年に全米初の嗜好大麻合法化が決定しました。

2021年現在、アメリカの36州で医療大麻、15州で嗜好用大麻が合法化されています。

[※1] 生命に関わる疾患や身体障害を引き起こすおそれのある疾患を有する患者の救済を目的として、代替療法がない等の限定的状況において未承認薬の使用を認める制度。

『真面目にマリファナの話をしよう』の経緯と反響

私は1996年にアメリカに移住したのですが、日本はその頃からどんどん薬物に対して厳しい国になっていきました。芸能人が大麻所持で逮捕されると謝罪会見をし、干されたりする状況は、アメリカではまず考えられません。アメリカでは大麻を合法化する州が増え、日本では厳罰化が進んでいく。ギャップはどんどんと広がっていきました。

私自身も、アメリカに移住して、大麻について日本政府が言っていることは真実ではないと感じるようになりましたし、大麻は合法化すべきだと思うに至りました。日本にいたら言いづらいかもしれないけど、「海外在住で、大手マスコミに所属していない私が大麻について書くべきではないか？」という気持ちが強くなっていきました。そして完成した書籍が『真面目にマリファナの話をしよう』です。

「大麻をテーマにすることで仕事を干されるのではないか？」と親に不安がられたり、「危険人物として公安にマークされたりするのでは？」と忠告してくれる知人もいましたが、その心配は杞憂におわりました。それどころか、大麻の本を書いたことで、身の回りにてんかんや緑内障で悩んでいる人がいることを知ったり、苦しんでいる人に出会ったりするようになりました。日本でも、人前では語らないものの、体調不良などから大麻の医療利用に興味を持っている人は、潜在的にものすごく多いのではないかと感じています。

日本では、大麻に対して悪いイメージが先行して議論が進まないようですが、大麻取締法の制定経緯などはアメリカとの関係性を抜きには語れないですし、まずはアメリカのデータを基に大麻の議論をはじめたらいいのではないか? と思います。しかし、それすらはばかられる、**大麻について語ることすら「タブー視」されている現状が、一番の問題であると感じています。**私自身も、大麻の医療利用について、どうすれば日本の皆さんにもっとわかりやすくイメージしてもらえるのかを考え続けていますが、長年の印象操作ですっかり浸透してしまった「洗脳」に頭を抱える毎日です。

合法化以降、「エッセンシャル」な存在に

実際にアメリカで生まれ育つと、日本に比べて大麻と触れる機会は圧倒的に多いはずです。合法化された地域では、子どもがいるパーティーでも、大人が大麻を吸っていること

もあります。このように、身近に大麻と接するきっかけがあるかどうかも大きいでしょう。アメリカはそもそも医療費や制度の問題、経済格差の問題があり、それに応じて予防医学、漢方や鍼、ヨガなどの補完代替療法的なセルフケアに関する関心が高いこともあります。社会全体のストレスが高くなっていることもあるでしょう。

北米でコロナが流行したとき、大麻ディスペンサリー[※2]は「エッセンシャルワーク」[※3]に認定されていました。大麻は生活必需品となっているのです。緩和ケアのために使用している人、睡眠障害のために使用している人、さまざまな目的の多くのユーザーがいるので、ディスペンサリーを閉めれば社会に悪影響が生まれてしまいます。

アメリカでは、大麻はここまで生活に密着しているのです。頭を切り換えれば、日本でも同じような存在になると想像するのは、それほど難しいことではないでしょう。

日本における合法化への誤解

よく日本では「北米は大麻の使用者が増え過ぎて仕方なく解禁した」「逮捕者が増え過ぎて刑務所に収容できなくなったから大麻を解禁した」と誤解に基づいた見解を耳にします。

[※2] 主にCBDやTHCを含む大麻製品を販売する店舗のこと。
[※3] コロナ禍において選定された「生活維持に欠かせない職業」のこと。

しかし、アメリカの合法化の歴史は、草の根の運動が動かしてきたものであり、そこに保守や革新のラインを越えて、世論が味方をした事実があります。感情論を超えた「合理的な判断や行政の知恵（税収が増える、ブラックマーケットが減らせるなど）」があるのです。アメリカの大麻合法化は、圧倒的大多数の州で住民投票のプロセスを経て決定しています。

また、歴史的に見ると、大麻の取り締まりは「人種差別」が基になっています。奴隷から解放された黒人を監視するために警察が生まれ、犯罪者を取り締まり、逮捕して再び無料の労働力として使う。その犯罪をつくるための口実の一つが「大麻の取り締まり」だったのです。そもそも人類の歴史を見れば、大麻が禁止された期間というのはたかだか70年程度にすぎません。現代の大麻はとても不思議な状況にあるともいえるのです。

日本でも「身体にいい／悪い」「社会にとっていい／悪い」だけではなく、もっと大麻について歴史的な経緯から話し合わないといけない気がしています。結局、このテーマを日本社会に理解してもらうためには、メリット・デメリットを含めて、「真面目に」語りかけていくしかないのだと思います。

2021年1月

〈特別寄稿②〉

大麻の取り締まりは健康問題であり、政治問題

松本俊彦さん［精神科医］

1993年、佐賀医科大学卒業。2004年に国立精神・神経センター（現国立精神・神経医療研究センター）精神保健研究所司法精神医学研究部室長に就任。以後、自殺予防総合対策センター副センター長などを経て、2015年に国立精神・神経医療研究センター精神保健研究所 薬物依存研究部長に就任、2017年より薬物依存症センター センター長を兼務。

「ダメ。ゼッタイ。」という標語を掲げた薬物乱用の危険性を訴えるポスターは、誰しも一度は見たことがあるでしょう。多くの場合、そこには覚せい剤、コカインなどに並んで大麻も掲載されています。実際、大麻の危険性はいかほどのものか、薬物依存の問題に幅広く取り組む精神科医・松本俊彦先生にお話をお聞きしました。

薬物依存の実態と対策

私は薬物に関連する実態調査、薬物依存症の治療法の開発、薬物依存症患者さんの診療を中心に取り組んでいる医師・研究者です。これまでにさまざまな薬物依存症患者さんの診察をしてきましたが、薬物依存の実態は世間一般のイメージと

は異なることもあるため、診察の経験や研究から得た知見をメディアでも発信しています。

たとえば、大麻や覚醒剤などの薬物への依存症よりも、アルコール依存症の方が医学障害が深刻化するケースはめずらしくありません。アルコールが合法であるが故に、長期にわたる摂取によって内臓障害などの多岐にわたる疾患を抱えるようになるのです。一方で、覚せい剤や大麻などの場合、依存症そのものの治療はさほど難しくないケースも少なくないのです。むしろ違法とされているが故の「刑罰による問題」が大きくなっていると感じます。それは「逮捕後にはバッシングされるため、誰にも相談できず、病院に行きづらく、支援が必要だという声を上げづらい」というものです。

こうした人たちが孤立しないよう「ハームリダクション」[※1]という考え方も注目されています。その考え方を広め、違法薬物使用者に対する「負の烙印（スティグマ）」の解消、薬物をやめたい人への応援、安心して相談してもらえる環境の配備も目指しています。

かつては関心が薄かった大麻問題

ある時期まで、私は大麻にあまり関心がありませんでした。覚せい剤や処方薬、アル

[※1]「被害の低減」を意味し、当事者の健康被害を減らすことを第一とし、薬物をやめさせることより、支援につなげることを重視する施策の総称。

コールの問題を抱えている方が患者数としては圧倒的に多く、そもそも大麻の依存症で困っている人があまりいなかったからです。

大麻のことを意識するようになったのは2007年頃。最初は有名大学の学生が所持・使用し、社会問題になっていたのをニュースなどで見ていました。その2年後くらいから「脱法ハーブ（危険ドラッグ）」が日本社会に出回るようになりました。脱法ハーブのユーザーは海外で大麻を使った経験がある人が多く、「日本でも大麻を使いたいけど、逮捕されたくないから」という理由から、〝大麻の代替用品〟として使うケースが多かった印象です。

脱法ハーブは規制強化が進めば進むほど、どんどん危険な薬物が入り込み、危険性が高まっていきました。錯乱状態になったり、暴力事件や交通事故を起こしてしまう人もいました。また、オピオイド[※2]なども混ぜられて、かなり強い依存性を持つようになりました。脱法ハーブは最終的には包括指定され、店も減っていったのですが、脱法ハーブが手に入らなくなった多くのユーザーは、原点回帰して大麻を使用するようになりました。しかし、大麻で錯乱状態になる人や、短期間で身体を壊す人はほとんどいなかったのです（皮肉なことに脱法ハーブ問題が沈静化したあと、大麻取締法違反による検挙者数が増加

[※2] ケシの実から生成される麻薬性鎮痛薬や、それと同様の作用を示す合成鎮痛薬の総称。常習性が強い。

しましたが……）。

誤解してほしくないのですが、私は「だから大麻は安全だ」と言うつもりはまったくありません。しかし、「人々の健康や福祉が目的であったはずの規制・刑罰が単に薬物使用者を孤立させ、痛めつける仕組みになっていないか？」と疑問を持つようになりました。合法や違法という区分けが、安全性や健康面と必ずしも一致するわけではないのです。

大麻の取り締まりは、そもそも健康問題

大麻に限らず、薬物に対する規制や罰則を求める根拠は1961年にできた「麻薬に関する単一条約」にあり、その目的は、同条約の前文にもあるように、「人類の健康と福祉」にあります。つまり、薬物乱用の本質は健康問題と捉えることができます。しかし、日進月歩で科学が進歩し、薬物政策国際委員会が「薬物戦争の失敗」を宣言する状況[※3]において、日本では相変わらず薬物に関する本質的な議論すらされません。国際的に薬物に関する状況が急変するなかで「ダメ。ゼッタイ。」を言い張るのは、かなり無理があるのではないでしょうか。薬物をタブー視し、それについて考えることもシャットアウトする姿勢

[※3] 薬物政策国際委員会は、2011年に「国際的な薬物戦争は、世界中の人々と社会に対して破壊的な影響を与え失敗した」という報告と共に発足した。

は、事態を好転させることはないかと思います。

たとえば、性教育が「セックス、ダメ。ゼッタイ。」とセックス自体をタブー視する形で行われたら、10代の子が望まない妊娠をしたり、そのことを誰にも相談できずに悩み苦しんだり、その結果、自ら命を絶ってしまうような最悪のケースも起こり得ます。なにしろ「ゼッタイにダメなこと」をしてしまったわけですから。失敗した際の解決策を教育しないことで、かえって被害は大きくなるのです。薬物教育も同じです。子どもを守るためにも、事実を教育し、困った人が助けを求めやすい社会にしていかなければなりません。

そもそも「ダメ。ゼッタイ。」と言われても、やる人はやります。それを前提に教育と社会政策を考える必要があるのです。いま若者たちの薬物乱用で一番問題になっているのは、大麻でも覚醒剤でもなく市販薬によるものです。もう一度「健康とはなにか？」「そのためにどういう規制が必要なのか？」を、基本に立ち返って考える必要があります。

まずは実態を把握すべき

薬物依存症の専門医として診察していると、本当にいろいろな方がいらっしゃいます。

病院に来る大麻使用者で、大麻使用そのものに医療のサポートが必要な方は実際には少数で、サポートを必要とする方の多くはもともとメンタルヘルスに問題を抱えている方です。だからこそ、まずは正確な実態の把握と研究が必要です。

大麻に関するデータが圧倒的に少なく、日本では大規模なリサーチも行われていないのが一番の問題です。医療にアクセスした人だけでなく、一般住民の大麻使用調査も必要です。そのうえで初めて依存性や危険性、規制の必要性についての議論に進めるべきではないでしょうか。

また、大麻の問題はもはや健康問題でなく、政治問題という見方もできます。カナダやウルグアイが国単位で大麻を解禁し、アメリカが州ごとに大麻を解禁している状況も日本の政策に影響を与えると思います。一方でロシアは依然として大麻に対して厳しい態度を取っています。国際的なパワーバランスも薬物政策に影響してくると思います。

2020年11月

〈特別寄稿③〉

ヘンプを用いた SDGsへの取り組み

リーバイ・ストラウス ジャパン

1873年に世界で初めて「ジーンズ」を誕生させ、1890年には501®を発表、「伝統と革新」というコンセプトのもとに数々の銘品を世に贈るLevi's®。いつの時代も核となってきた501®を中心に新しいスタンダードを打ち出し続けるLevi's®ジーンズは、時代を切り拓いてきた世界中のパイオニア達に愛され、いまもなお、最良の定番として愛され続けています。

ヘンプ（産業用大麻）は成長が早く、環境負荷が少ないため、新素材として注目を集めています。そんなヘンプを自社製品に積極的に取り入れているリーバイス。ヘンプの機能性と環境性について、リーバイ・ストラウス ジャパン商品開発部の墨田さん、広報部の小神野さんにお話をお聞きしました。

リーバイ・ストラウスとヘンプの関係

1990年代からの環境意識の高まりと共に、日本でも一時期「ヘンプ(hemp)」がブームになりましたが、その開発は日進月歩で進んでいます。リーバイス社は「SDGs（持続可能な開発目標)」の取り組みの一環として、ヘンプ素材に注目し、商品化しています。サステナブルな素材は、オーガニックコットンやリサイクルされたポリエステルなどさまざまなものがありますが、ヘンプもその一つです。

リーバイスでは綿(cotton)とヘンプ(hemp)を混ぜる「コットナイズド・ヘンプ(cottonized hemp)」という手法で、ヘンプを使いながらも従来の綿と同じような肌触りの商品をつくることに成功しました。ヘンプ素材は吸水性・速乾性・抗菌性の高さなど利点がたくさんあるのですが、どうしても節が多くなってしまい、堅く、ゴワゴワした肌触りになるデメリットもあります。そこを技術革新で乗り越えたのです。私たちはジーンズメイカーなので、商品のクオリティを大事にしています。コットナイズド・ヘンプの商品は、綿100%の商品とほとんど差がないタッチに仕上がっています。

これから先、リーバイスはヘンプの混用率を上げていく予定です。現在コットナイズド・ヘンプの商品はブランドの展開の一つという立ち位置で、2017年にはプロサーファーのケリー・スレーターによるアパレルブランド「アウターノウン(Outerknown)」とリーバイスとのコラボレーションでも一部使われました。すでに一般向けの商品にも使用されており、今後も多くの商品に使われていくことになるでしょう。

ちなみに「1853年創業当時、リーバイスの最初のワークパンツがヘンプ素材だった」との噂があり、たびたびヘンプとの関係を質問されますが、そうした記録は残っておらず、事実かどうかはよくわかりません。サンフランシスコ本社でリーバイスの社史を管理している「ヒストリアン」に聞いても、記録がないのです。初期のリーバイス製品に関しては諸説あるのでなんとも言えないのですが、記録上最古の商品は100%綿の製品です。現在ヘンプに注目しているのは、あくまでSDGsへの取り組みとしてです。

ヘンプとマリファナの関係

「ヘンプ」と「大麻」は同じ植物なのですが、ヘンプは洋服の素材として一般化していいます。消費者の方が、ヘンプ素材と嗜好用の大麻、すなわちマリファナを結びつけてイメージされ、避けられるといったこともほとんどありません。それはアメリカでも同じです。ただ、アメリカのリーバイス本社のホームページでは、ヘンプと「ウィード（マリファナ）」の違いを「THE DIFFERENCE BETWEEN HEMP AND WEED」[※1]というタイトルで説明しています。その呼ばれ方や、成分の違い、見た目の特徴などについても書かれてい

[※1] https://www.levi.com/US/en_US/blog/article/the-difference-between-hemp-and-weed

ます。ウィードすなわちマリファナはTHCという陶酔成分を多く含み、背丈も低いものが多い。ヘンプはTHCをほとんど含まず背丈は大きいという特徴があります。そして、ホームページではアメリカでの法改正についても触れられています。2018年に、THCの含有率0・3％以下の大麻はすべて「ヘンプ（産業用大麻）」という定義で取り扱われ、農作物として誰でも簡単に栽培できるようになりました。全米でのヘンプ栽培解禁の流れも、リーバイスがコットナイズド・ヘンプを生み出した追い風の一つにはなっています。

このように、ヘンプとマリファナは同じ植物でありますが、品種やそのイメージもまったく別のものです。

SDGsへの取り組み

コットナイズド・ヘンプの取り組みは、どちらかといえば「企業としてのメッセージ」に近いかもしれません。実際に利益のみにフォーカスすれば、綿素材を使った方がいいことも多いのです。しかし綿は栽培に多くの水、農薬、肥料などを必要とし、環境負荷が大きいです。かつて世界4位の湖面面積を誇ったアラル海が干上がってしまったのも、綿花栽培が原因の一つとされています。それに対し、**ヘンプは水を多く必要としない、雨水だけで育つ、多くの農薬を必要とせず土壌にやさしいなど、環境負荷が少ないのです。**

企業として環境負荷を減らすために、使う水を減らそうとする取り組みは、ヘンプだけにとどまりません。たとえば、2015年頃からはじまった「ウェルスレッド・コレクション（Wellthread Collection）」では、従来のインディゴ染めと比べ、水の使用量を最大で70%カットする革新的な技術を使って製造しています。

環境意識やSDGsの考え方は、特に若い人に広がっていて、消費の方向にも影響を与えるといわれています。その商品の背景や、たどってきた道までも見られている状況では、サステナブルやLGBTなどの社会的な問題を視野に入れない企業は、生き残っていけないのではないでしょうか？　リーバイスはアパレル企業の先駆けとしてそれらに取り組んでいます。

2020年12月

第 6 章

文化

chapter 6

Culture

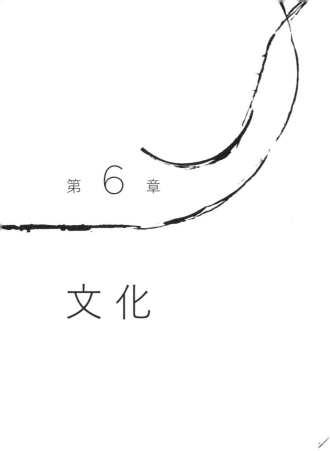

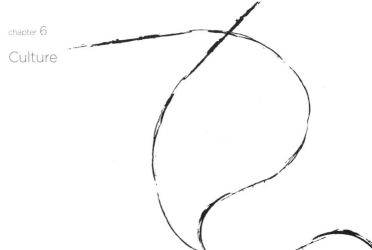

生活文化、伝統文化と大麻

大麻は身近な農作物として、衣服や神事以外にもさまざまな用途で用いられており、現在もその文化や風習は数多く残っています。ここでは代表的なものを取り上げたいと思います。

大麻の繊維を利用したもので、歴史の古いものの一つが虫除けのための綱、蚊帳です。日本で蚊帳が本格的につくられはじめたのは奈良時代のことで、唐から伝わり、材質は主に絹で「奈良蚊帳」と呼ばれていました。室町時代になり、奈良蚊帳の売れ行きに目をつけた近江国（滋賀県）八幡の商人が、初めて大麻の糸でつくったのが「八幡蚊帳」と呼ばれた蚊帳です。琵琶湖の適度な湿気は、蚊帳の経糸を織るのに適していたといわれています。この蚊帳は上流階級の贅沢品で、戦国武将のお姫様の嫁入り道具にもなっていました。

現在も寝具メーカーとして有名な西川は、1620年代に二代目の西川甚五郎が大麻の生地を萌黄《もえぎ》色に染め、紅布の縁をつけたデザインの「近江蚊帳」を販売し、人気を博したという記録が残されています。大麻の蚊帳はその後、合成繊維の蚊帳が出回りはじめる１９６０年頃までの長い間、生活に不可欠なものでした。

四方を海に囲まれた日本において、漁は重要な食料調達の手段です。いつ頃から用いられたのか正確にはわかりませんが、大麻は漁においても重要な役割を果たしました。大麻の糸は丈夫で粘りがあり、ねじれに強いという特徴があり、昭和30年代頃までは漁網や釣り糸の主な素材として用いられました。大麻の漁網を柿渋で染めて耐久性をよくしていたことや、カツオの一本釣りに竹竿と大麻の釣り糸が用いられたこと、九十九里浜の地曳網に栃木の野州麻の漁網が使われたという記録が多く残されています。以前に広島で聞いた話ですが、化学繊維が普及した昭和30年代以降もフグ釣りには大麻の糸が使われていたそうです。フグの歯は非常に鋭く、粘りのない糸だと簡単に食いちぎられるため、丈夫な大麻の糸を用いていたとのことでした。

江戸時代、砲術で知られる荻野流《おぎのりゅう》では、木炭の替わりにオガラを焼いた麻炭を使っていました。その技術は、打ち上げ花火の火薬に応用され、現在も用いられています。花火師の方によると、麻炭は爆発力が大きく残像効果が高いため、美しく映えるそうです。

麻炭は、携帯用懐炉《かいろ》にも使われました。言い伝えによると、懐炉の発明者は忍者だったとされています。忍者が用いた懐炉は「胴の火」と呼ばれ、銅製の筒に和紙や植物繊維を黒焼きにしたものを詰めたものです。点火するとゆっくりと燃えて半日ほどもち、暖をとるだけでなく、火種としても利用していたようです。このカイロ灰は、昭和初期まで使われていました。栃木市に本社を置き「貼るオンパックス」といった商品で知られるマイコール株式会社の

胴の火、カイロ灰

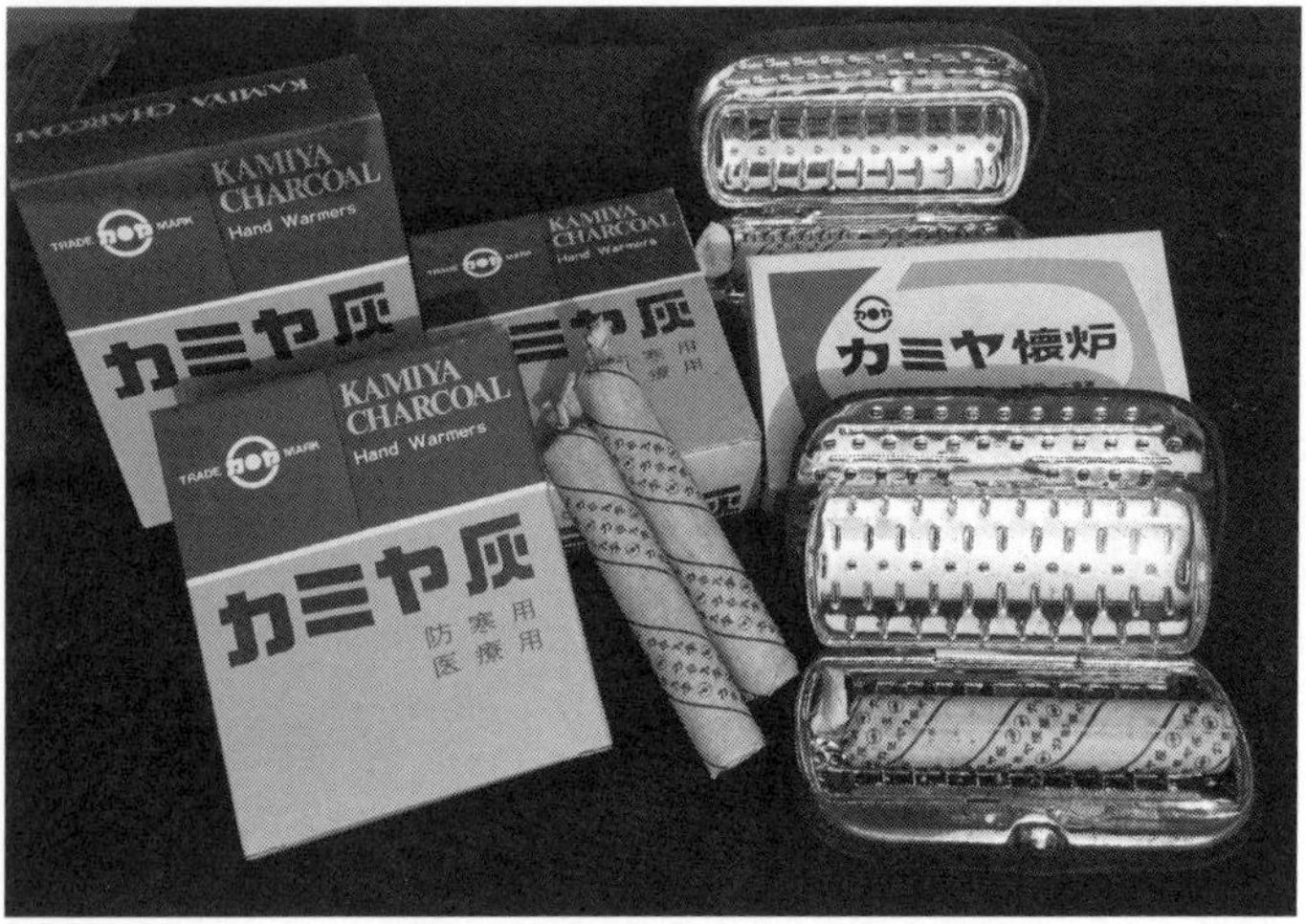

ロゴマークは、その名残から現在も大麻の葉を模しています。

海外でも人気の高い忍者ですが、「大麻の種をまき、その早い成長に合わせて毎朝飛び越えることで跳躍力を鍛えた」というよく知られた言い伝えがあります。しかし近年、子ども向けのコンテンツなどを中心に、大麻ではなく、ヒマワリを飛び越えていたという記述に変更されているのをしばしば見かけます。「違法な薬物」というイメージが定着し、重要な農作物だったという事実を多くの日本人が忘れているため、このような安易な書き換えが横行しているのでしょう。しかし、ヒマワリが日本に来たのは江戸時代に入って以降とされています。細かい点といわれるかもしれませんが、こういった風潮には強い危機感を覚えます。

大麻は住まいを支える素材としても用いられました。茅葺きの屋根には、チガヤやアシといった草を使うのが一般的ですが、茅葺きの一番下の層に大麻の茎、オガラを敷くことがあります。オガラは軽く、丈夫であり、地上から屋根を見上げる際、白くてきれいな仕上がりになるのが特徴で、長野県大町市美麻の旧中村家住宅（国指定の重要文化財）や栃木県鹿沼市の医王寺などが知られています。また、お城の城壁や町屋の白壁などに見られる漆喰《しっくい》壁には、古くから石灰、フノリ（海藻の糊）、麻スサ（麻の繊維くず）といった原料が用いられました。それらを練り合わせ、何度も塗ることで、日本の独特な気候風土に耐えうる壁になります。麻スサを用いると、藁スサよりも接着力が高まり、乾燥したときのひび割れを抑えられます。石灰のアルカリ成分に強いため、灰汁が出ず、耐久性のある土壁ができるのが特徴です。

また、現在も和室に欠かせない畳は、単にイグサを敷きつめただけのものではありません。しっくりと足になじむよう、イグサの一本一本に経糸を絡ませ、表面が均一になるよう、丁寧に編まれています。この経糸が大麻でできており、畳表の産地では経糸のための大麻栽培が盛んに行われました。

さらに、松明《たいまつ》にもオガラがよく用いられました。その名残として、日本各地の火祭りの松明にはいまもオガラが大量に使われています。長野県の野沢温泉の道祖神祭り、岐阜県神戸町の日吉山王《ひえさんのう》祭り、愛媛県の八幡浜の柱祭り、奈良県の往馬《いこま》大社の火取り行事などはよく知られています。火祭りには火事除け、虫除け、無病息災、五穀豊穣などの願いが込められています。オガラは火の持ちを長くしつつ、運びやすいという機能性に優れており、同時に魔除けや厄除けの意味を持つことから、選ばれることが多かったのでしょう。

結婚式に先立って行われる「結納」は、日本各地でさまざまな形で行われています。その際に取り交わす結納品の一つ「友白髪」に、大麻の繊維が使われています。「新郎新婦が白い大麻の繊維のように、共に白髪になるまで仲よくする」という意味を込め、新郎側から新婦側へ送られました。大麻の繊維は邪気を祓うだけでなく、縁起のよい、幸せを呼ぶものとされてきたのです。また、出産の際に赤ん坊のへその緒を縛る紐にも、大麻が用いられました。

神戸町の火祭り

日本各地に残された大麻

全国でも有数の花火競技大会が開催される秋田県大曲市。秋田藩士石井忠行による『伊頭園茶話』には、その地名について「享保十五年（１７３０年）に、大麻刈を大曲に改めた」と記されています。この花火大会で上げられる花火の助燃剤として、麻炭が使われています。他に、麻炭を花火に用いる例に、埼玉県秩父市にある椋《むく》神社の例大祭で行われる龍勢《りゅうせい》祭りも知られています。

麻炭を用いた花火の玉の断面図

栃木県には野州麻を用いた日光下駄という伝統工芸品があります。かつて、格式を重んじる社寺に参入する際は、草履《ぞうり》を使用するのが原則でした。しかし、日光は雪や坂道が多いことから、江戸時代、独特な形の下駄に草履を麻紐で縫いつけた「御免下駄《ごめんげた》」が考案され、明治時代中期以降、台木を普通の下駄に改良し履きやすくなったため、長く地元で愛用されました。また、日光二荒山神社の巫女は、八乙女《やおとめ》と呼ばれていますが、毎年4月1日の入社式にあたる間政《あいまさ》授与式において、先輩の八乙女は新人たちの後ろ髪を束ね、白い和紙の奉書《ほうしょ》を巻き、精麻で縛ります。八乙女の印である間政を授与され、新人

日光下駄

提供：栃木県立博物館

たちは巫女の第一歩を踏み出すのです。

新潟県の越後荒浜は、日本三大漁網発祥の地の一つに数えられています。幕末、荒浜から北海道の江差に「あぞ網」が持ち込まれ、北海道のニシン漁は飛躍的に発展しました。あぞ網とは、大麻でできた丈夫な漁網で、最盛期には約2000世帯が製網に従事していたとされます。また上越市には、麻糸製漁網の問屋を営んでいた「麻屋高野」があり、いまでは貴重となってしまった大麻製の漁網をはじめ、当時の暮らしを物語る品々がそのまま残っています。

石川県の輪島塗漆器は厚手で、丈夫さが特徴です。下地に地の粉と呼ばれる土を塗り、木地の弱い部分に麻布を貼りつけ補強します。これは奈良時代に普及した乾漆造《かんしつぞう》と呼ばれる彫像制作の技法の一つで、麻布を漆で張り重ねて仏像を形作る方法と同じです。

福井県の越前和紙は多くの画家などに愛用されています。大麻は古代紙の主要な原料でしたが、紙質が硬く、ざらざらして書きにくかったため、平安以後は姿を消していきました。

しかし1926年、越前和紙の名匠・岩野平三郎が、東洋史学者の内藤湖南に勧められ、日本画用の和紙として復元しました。

かつて長野県は、栃木に次ぐ大麻の産地だったため、さまざまな名残が残されています。大町市美麻《みあさ》には、その歴史を伝える「麻の館」があり、長野市鬼無里《きなさ》の「鬼無里ふるさと資料館」には、この地域で1960年代頃まで盛んだった畳糸に関する展示があります。展示では、経糸として使われていた大麻の栽培、加工工程が再現されています。また、開《かい》田《だ》高原にある開田郷土館では、「木曽の麻衣」と呼ばれた麻織物を見ることができます。松本市から新潟県糸魚川市に至る千国《ちくに》街道は「塩の道」として知られていますが、その昔、穂高見命《ほたかみのみこと》や安曇族《あずみうじ》が、良質の大麻が育つ信濃の国に来たとされることから「麻の道」とも呼ばれており、付近には大町市美麻や麻績《おみ》村といった「麻」のつく地名が残されています。

静岡県で開催され、毎年200万人もの参加者が集まる浜松まつり。その代名詞となっている凧合戦は、糸の摩擦で相手の凧糸を切り勝敗を競うため、凧糸は摩擦に強く丈夫なことが要求されます。同じ条件で合戦が行えるよう、すべての凧糸は浜松まつり会館でつくられるのですが、糸の原料は栃木の精麻です。また、焼津の伝統工芸品として知られる焼津弓道具の弓の弦には、麻糸が使われています。近年、合成繊維を混ぜた弦も多くつくられていますが、古くから大麻を用いた弦が最上品とされてきました。とくに、弦音《つるね》がよいとされ、高段者には麻糸を選ぶ人が多いと聞きます。

飼いならした鵜《う》を使い、鮎などを獲る伝統的な漁法、鵜飼。よく知られた岐阜県長良川の鵜飼は、鵜をつなぐ手綱や鵜匠の衣装に大麻の繊維を用いています。また同じく岐阜県高山市の伊太祁曾《いたきそ》神社には、約600年前からはじまったと伝えられる管粥《くだがい》神事がありま す。これはオガラを入れてお粥を煮、中に詰まった米や小豆などの具合によって、その年の吉凶を占うもので、高山市の無形文化財に指定されています。

奈良県には現在も麻子油《ましゅ》（麻の実から採れる油）を用いた書道の墨汁を製造する会社があります。墨は大きく分けて油煙墨《ゆえんぼく》と松煙墨《しょうえんぼく》の二種類あり、昔の油煙墨は桐油《きりあぶら》、菜種油《なたねあぶら》、麻子油などを焼いてできた煤《すす》から製成されていました。この墨は青色系統で、光沢があり、作画に適しているといわれています。

岡山県、広島県は畳の製造が盛んな地域でした。岡山では明治時代初期頃からイグサ栽培が盛んになり、戦後～1967年まで全国で最も多い生産量を誇りました。「備《び》前《ぜん》表《おもて》」と呼ばれた畳表の経糸として大麻の糸を用いるため、大麻の栽培も盛んでした。広島県東部の「備後《びんご》表《おもて》」は、最高級の畳として知られていました。現在は大麻の経糸ではなく綿糸などになっていますが、昔ながらの大麻の経糸を用いた畳表の復元に取り組んでいる製造者もいます。

　また、広島市安《あ》佐《さ》南《みなみ》区古市地区は明治から大正にかけ、大麻の茎の皮を釜茹

大麻糸を用いた畳

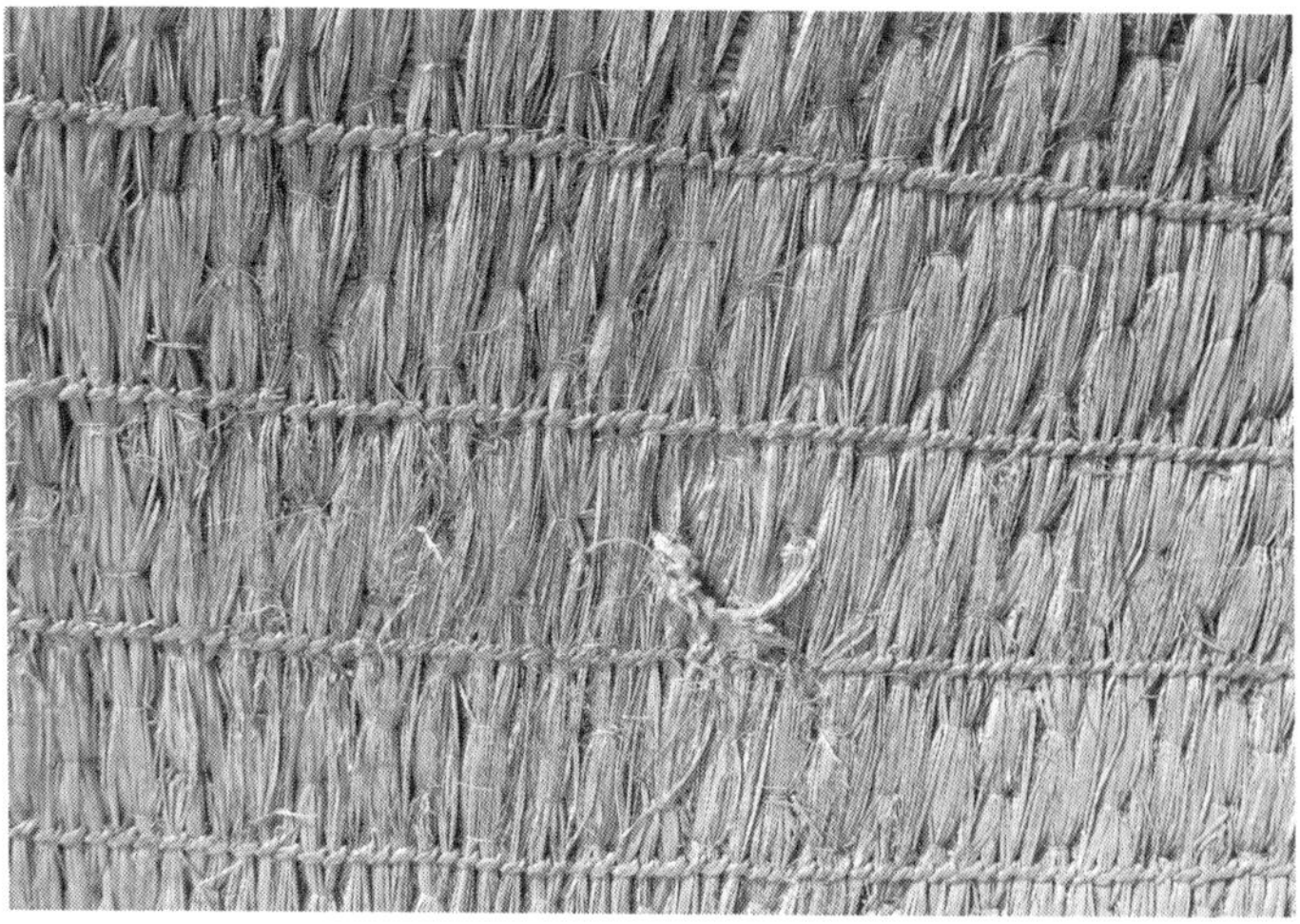

でして繊維にする「煮こぎ屋」と呼ばれる加工場が50軒以上あったそうです。主に瀬戸内海や太平洋で使われる漁網の原材料として、西日本一帯に出荷されました。広島はかつて、栃木、長野に次ぐ麻の栽培面積を誇りました。桶蒸法《おけむしほう》と呼ばれる大麻を蒸して繊維を剥がす方法は、楮やミツマタなど和紙原料をつくるときに使った桶《こしき》を兼用していたのですが、1877年、広島で大きく成長する大麻専用の長い桶が開発され、効率的に蒸せるようになりました。これらの歴史は、広島市郷土資料館にミニチュア展示と資料という形で残されています。

熊本という地名の由来には諸説ありますが、「熊」の元になった「球磨《くま》」はかつて、「求《く》麻《ま》」という地名だったそうです。県南部を流れる球磨川は、かつて木綿葉川《ゆうばかわ》と呼ばれ、平安時代の公卿藤原定隆は「夏来れば　流るる麻の　木綿葉川　誰水上に　禊《みそぎ》しつらむ」と、麻の葉が流れる様子を和歌にしています。また、熊本も畳の製造が盛んであり、イグサと大麻の栽培が行われていました。

他にも日本各地の博物館や資料館などには大麻に関わるさまざまな資料や製品、用具などが多く残されています。なにか興味深いものを発見されたら、ぜひ大麻博物館までご一報いただけると幸いです。

世界遺産を支える素材として

紹介してきたように、大麻の用途は非常に多岐にわたります。本格的な調査が行われていないため、正確な数などはわかりませんが、大麻の糸や布、オガラなどが使われている文化財はかなりの数に上るはずです。文化財は文化財保護法に基づき、文化庁が国宝、重要文化財、史跡、名勝、天然記念物などとして保護する国民的財産であり、そのなかから「顕著な普遍的価値を有するもの」をユネスコに推薦し、世界文化遺産への登録を推進しています。世界遺産とは1972年、ユネスコ総会で採択された世界遺産条約に基づき「世界遺産リスト」に記載された建造物や遺跡、景観、自然です。人類共通の財産として保護し、後世に伝えていくための世界遺産リストには、日本の文化遺産19件と自然遺産4件の計23件（2019年7月時点）も登録されていますが、なかには大麻との関わりが深いものもあります。

2011年に世界遺産に登録された「平泉―仏国土(浄土)を表す建築・庭園および考古学的遺跡群」は仏教のなかでも、特に浄土思想の考え方に基づいて造られ、その理想世界の表現は、他に例のないものと評価されています。なかでも最も知られた国宝の中尊寺金色堂の漆彩色の下地材《したじざい》は、大麻の布です。

また、栃木県日光に残る社寺103棟は「日光の社寺」として、世界遺産に登録されています。日光は約1200年前に勝道上人《しょうどうしょうにん》によって開かれましたが、開山の際、信徒が麻を持って馳せ参じたと伝えられ、かつては栽培も盛んな土地だったことから、さまざまな遺物に大麻が使われていました。最も知られる日光東照宮は三代将軍徳川家光公による寛永の大造替《だいぞうたい》(1636年)という大きなつくり変えを経て、現在に至っていますが、東照宮の漆彩色の下地は木に麻布を貼ったもので、修復時に除去されたもののなかには型染めの大麻布も発見されています。

岐阜県の「白川郷・五箇山の合掌造り集落」は日本の原風景ともいうべき景観が評価され、世界遺産に登録されています。合掌造りの茅葺屋根はよく知られていますが、独特の

白川郷

白川郷の茅葺き屋根に使われているオガラ

厚みのある茅葺屋根の最下層には、白くて見た目がよく、通気性がよいことから、オガラが大量に使われています。また、白川村には「人は生まれてくるとき、手に麻の種を3粒持って生まれてくる」という言い伝えも残されています。大麻は、日本が世界に向けて発信する世界遺産を支える素材でもあるのです。

大麻に関するこうした事実は、もっと多くの人に知っていただきたいと思っています。大麻博物館には海外からの来館者も多いのですが、日本人が築き上げてきた、世界でも類を見ない独自の大麻文化に驚き、興味を持つ方は多くいらっしゃいます。世界的に日本の伝統的な文化への注目が高まり、北米を中心に大麻産業が右肩上がりの現在、この日本独自の文化を海外に発信する方法はないか、私たちは考え続けています。

たとえば、伊勢神宮は長きにわたり「絹と大麻」を神の衣としてきましたが、絹をつくっていた「富岡製糸場と絹産業遺産群」は2013年、世界遺産に登録されました。世界遺産はともかく、絹に負けぬ歴史や多様さを誇り、日本全国に残る大麻の痕跡を「日本の大麻文化」として世界に発信するため、試行錯誤を行いたいと考えています。

第 7 章

食

chapter 7

Food

人類は1万年以上前から、「大麻の種子」を食べていた？

「大麻の種子」と聞くとなにやら危険な印象があるかもしれませんが、「麻の実」と言い換えるとどうでしょうか。じつは、人類は古くから麻の実を食料として用いてきた歴史があり、意識はしていなくても、日本人なら誰しもが口にしたことがある食材です。

麻の実は灰白色の、長径約5㎜の硬い殻に覆われた種子で、殻の表面は滑らかでやや光沢があり、実は軟らかく、油分を多く含みます。生のままだとほとんど香味を感じませんが、火で焙ると咬み砕くときに温和な香りを発します。

麻の実は世界各地の遺跡から出土しています。植物であり、遺跡の環境条件が良好でないと麻の実が形を残したまま出土することは難しいのですが、各地に残された遺物は人類が古くから麻の実を食してきた可能性を示唆しています。

次ページに麻の実が出土した主な地域と年代をまとめています。放射性炭素C14を使った科学的年代測定法では、千葉県の沖ノ島遺跡から出土した麻の実が最も古く、約

1万年前のものと推定されています。

麻の実は、古代中国では五種の主要な穀物「五穀」の一つに数えられていました。現在、五穀といえば「米、麦、粟、豆、黍《きび》または稗《ひえ》」を指しますが、当時は「麻、黍、稷《たかきび》、麦、菽《まめ》または稲」を五穀としていました。また、儒教の最も基本的な経典である『経書』の一つで、礼に関する書物『禮記《らいき》』のなかには、「孟秋の月（旧暦7月）、主として麻の実と犬の肉を食べる」という記述も残されていますす。この書は、紀元前3世紀の周時代の史官の記録『周書』に基づいて著されており、周時代の初期には麻の実が主要な

麻の実の出土年数比較

地名	出土年
日本（千葉県）	10,000年前
モルドバ	6,000年前
日本（福井県）	5,500年前
中国（東北部）	5,500-4,500年前
ルーマニア	5,000-4,000年前
ドイツ	2,500年前
中国（新疆）	2,500年前
セルビア	2,430年前
フランス	2,100年前

穀物となっていたことがわかります。

他にも「六年麻麦《まばく》の行」はよく知られています。仏教を開いたお釈迦さまが自らに科した苦行で、麻の実1粒と麦1粒だけを食べて1日過ごす生活を6年間続けたというエピソードが残されています。

章の冒頭で述べたとおり、麻の実は日本でも食用として用いられてきました。「稲、黍、大麦、小麦、大豆、小豆、粟、麻」は「八穀」と呼ばれ、古くから馴染みのある存在でした。現代の栄養学では種実類（NUTS AND SEEDS）に分類されますが、かつては穀類の一つとして捉えられていたようです。

大麻の種子

1930年代に日本で初めて編纂された『日本食品標準成分表』には、麻の実が「麻實《おのみ》」という名で収載されています。日本食品標準成分表とは、栄養指導や生活習慣病の予防などの観点から、学校や病院などの給食業務で栄養素を計算する上での重要な資料の一つであり、管理栄養士の資格の学習などにも用いられています。対象食品がわずか210種類であったこの時代から、麻の実は食品として認識されていたのです。

また、麻の実はその栄養価の高さから、動物の飼料としても重宝されてきました。近年でも年間1000トン程度が日本に輸入されており（輸入する際に加熱処理が施され、発芽できないようになっています）、そのうち9割は鳩やインコなど鳥類の飼料として流通しています。特に知られているのは鳩レースに参加する鳩の餌としてです。鳩レースは時に1000km以上に及ぶ長距離飛行となりますが、麻の実は鳩の毛並みをよくし、持久力をつけるとされており、鳩レース愛好家には馴染み深い存在です。

なお、麻の実には3割ほど油が含まれていることから、食用以外にも使われてきました。江戸時代の代表的な農書『農業全書』によれば、鯨油《げいゆ》、菜種油と共に神仏に供えるともしび、燈明《とうみょう》用の油として用いられ、明治時代以降は木材家具の表面を保護するためにも用いられたという記録も残っています。

七味唐辛子と各地の郷土料理

麻の実を用いた食材で、圧倒的に知られているのは定番の調味料「七味唐辛子」です。うどんやそば、鍋をはじめ和食には欠かせない薬味であり、世界に誇る日本独自のスパイスともいわれています。その七味のうちの一味は、麻の実なのです。

七味唐辛子は1625年、江戸の日本橋薬研堀町《やげんぼりちょう》で誕生したとされています。地名が示すように医者や薬問屋が多い土地で、そもそもは漢方薬をヒントにつくられました。当時は薬効が期待され、寺社の門前で販売されることが多く、やがて日本全国に広まっていきました。現在、東京・浅草寺門前の「やげん堀（中島商店）」、京都・清水寺門前の「七味家本舗」、長野・善光寺門前の「八幡屋礒五郎」が日本三大七味と称されていますが、どれも寺社の門前で販売していた歴史を持っています。

じつは、七味唐辛子の七味を構成する素材には、厳密な定義がありません。しかし、多くの七味には現在も麻の実が入っています。三代七味でいえば、やげん堀は「唐辛子、焼唐辛子、黒胡麻、山椒、陳皮《ちんぴ》、けしの実、麻の実」、七味家本舗は「唐辛子、山椒、白胡麻、黒胡麻、青のり、青紫蘇、麻の実」、八幡屋礒五郎は「唐辛子、山椒、生姜、胡麻、陳皮、紫蘇、麻の実」の7つであり、すべてに麻の実が入っています。胡麻ほどのクセはなく、独特の食感と香り、香ばしさを持つ麻の実は、多くの日本人の家の食卓に並んでいるのです。

以前、私たちは八幡屋礒五郎の九代目である室賀さんに取材させていただいたことがあります。八幡屋礒五郎は１７３６年に創業された会社で、当時は日本でも有数の大麻栽培地だった長野県の鬼無里という小さな村で七味づくりをはじめ、参拝客が多い善光寺で販売していました。鬼無里では１９７０年代前半くらいまで大麻を栽培していましたが、それ以降は大麻取扱者免許が交付されなくなったため、現在は海外から麻の実を輸入しているとのことです。国産の原料にはこだわりがあるため、「本当は麻の実も自分たちの手で栽培したい」「鬼無里の大麻栽培の記憶があるうちに、栽培加工の技術がある年配の方々がご健在なうちになんとかしたい」と長野県知事に直接お願いしたこともあるそうです。

ちなみに八幡屋礒五郎では七味唐辛子以外にも、チョコレートやジェラートといったスイーツにも麻の実を用いており、「麻の実を用いた新しい商品をどんどん開発していきたい」とのことでした。

また、麻の実は日本各地の郷土料理にも使われています。豆腐を麻の実、笹がき（笹の葉の形のように切ったごぼうやにんじん）などと一緒にごま油で炒め、出汁を加えて煮込んだ料理で、鹿児島から全国に伝わった「けんちん汁」。山形の醤油蔵に代々伝わるご飯のお供で、米こうじ、からし、醤油、唐辛子、麻の実、三温糖《さんおんとう》を伝承された技法で仕込んだ「あ

八幡屋礒五郎の七味

けがらし」などはよく知られています。農山漁村文化協会が発行している『日本の食生活全集（全50巻）』には、炒った麻の実を酢飯にまぜる大阪の「おいなりさん」、炒って粗くつぶした麻の実を豆腐の中に入れる長野の「がんもどき」をはじめ、各地に伝わるさまざまな麻の実料理が掲載されています。

「スーパーフード」としての再評価

近年、麻の実は「ヘンプシード」という名で注目を集めています。そのきっかけとなったのは2009年に発行された『Superfoods（スーパーフード）』という書籍です。スーパーフードとは、他の食材よりも豊かな栄養成分が多数含まれている「高栄養食品群」を意味し、著者のデイヴィッド・ウォルフ氏はクコの実（ゴジベリー）、カカオ、マカ、蜂関連食品（ハチミツ、ビーポレン他）、スピルリナ、AFAブルーグリーンアルジー、マリンフィトプランクトン、アロエベラ、ココナッツと並んで、ヘンプシードを10種のスーパーフードの一つとして取り上げ、食材のルーツ、含有する栄養素、食べ方などをくわしく解説しています。

ヘンプシードは高たんぱく質で、必須アミノ酸がすべて含まれ、体で合成できない必須脂肪酸であるオメガ6とオメガ3が3対1と理想的なバランスで、食物繊維、マグネシウム、亜鉛、鉄、銅も豊富に含まれています。世界的に健康志向が高まるなか、手軽に食事に取り入れることができ、少量を食べるだけで効率的に栄養を摂取できるヘンプシードは、オーガニック食品愛用者やベジタリアンなどを中心に人気の食材となりました。なお、ヘンプシードは用途に応じてさまざまな形状に加工されており、次の4種類に大別できます。

①ヘンプシード：七味唐辛子の一味など、従来から食されてきた形で、表面のやや固い殻がついたままのもの。
②ヘンプナッツ：食べやすくするため、表面のやや固い殻を剥がした白い中身。
③ヘンプシードオイル：ヘンプシードを搾り、抽出された植物性の油。
④ヘンプパウダー：搾油したあとの油粕を粉砕したもの。

これらはもちろん日本でも手に入れることができます。ヘンプシードやヘンプナッツはサラダやトースト、クッキー、おにぎり、カレーなどに加えたり、ヘンプシードオイルはドレッシングの材料にしたり、ヨーグルトやスムージーなどにかけたり、ヘンプパウダーは飲料や菓子に加えたりと、幅広いメニューに使われており、ヘンプシードを取り上げた料理本も数多く出版されています。低カロリーかつ高栄養食品のため、ダイエット中の主食となったりもしているそうです。

ちなみに、近年の北米では「食用」を意味する「edible（エディブル）」と呼ばれる大麻入り食品が流行しています。ヘンプシードなどと異なり、こちらは向精神作用のある成分THCが含まれている食品を指し、ブラウニーやクッキー、ケーキ、グミ、アイスクリーム、チョコレート、キャンディ、お茶と、その種類は多岐にわたります。煙を吸うのが苦手な人などに受け、人気となっているのですが、もちろん2021年現在の日本では違法です。

また、動画配信サービス大手のNetflixで視聴可能な「クッキング・ハイ」「マリファナクッキング・バトル」といった料理対決番組があります。どちらも熟練したシェフたちが大麻を食材に真剣勝負を行うという内容で、日本のファンも多いと聞きます。登場する料理はどれも非常に美味しそうですが、葉や花穂が使われているため、こちらも現時点の日本では違法です。

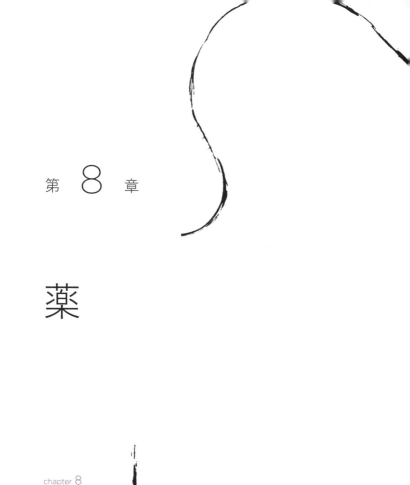

第 8 章

薬

chapter 8

Medicine

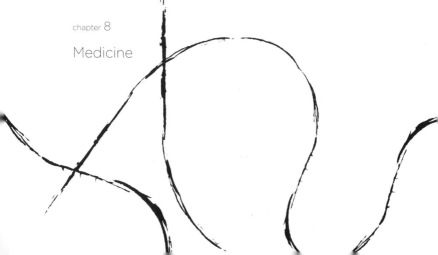

漢方薬としての歴史

近年、日本でも「医療大麻」という言葉を聞く機会が増えています。賛否両論がありますが、薬としての大麻の歴史を振り返ることで、見えてくることもあります。というのも、日本人は長い間、大麻を漢方薬・民間薬として用いてきた歴史があるからです。

日本の漢方薬は、中国からの影響を大きく受けています。5世紀頃の世界最古の医学書『神農本草経』には、「アサ」が掲載されています。

この書物は植物薬252種、動物薬67種、鉱物薬46種の合計365種に関する効能と使用方法が書かれていますが、それらは「上品《ジョウホン》・中品《チュウホン》・下品《ゲホン》」に分類されています。上品は生命を養う目的の養命薬で、無毒で長期服用可能とされ、現在の健康食品や保健薬のようなものです。中品は体力を養う目的の養性薬で、使い方次第では毒にもなるため扱いには注意が必要とされ、現在の強壮薬・予防薬にあたります。下品は、治病薬・治療薬で、毒が多いので長期にわたる服用はよくないとされており、現在の西洋医学をベースにした治療薬にあたります。
アサは麻蕡《まふん》（大麻の雌花。別名を麻勃《まぼう》）と麻子（大麻の種子）が紹介されていますが、これら二つは、無毒で長期服用可能な上品に分類され、現在の健康食品や保健薬と同じ位置づけでした。麻蕡は「過労や無理によって起こる病を治す」と記述されており、麻子は「主に内臓の機能を補い、元気を益す作用がある。長く服用していると体が肥えて健康になり、年をとっても老いることなく、神人や仙人になれる」と記述されています。この『神農本草経』以降も、さまざまな中国医学の書物が発行され、日本に持ち込まれました。

薬用に重点を置き、植物やその他の自然物を研究した中国古来の学問のことを「本草《ほんぞう》学《がく》」といいます。これは日本で独自に発展し、漢方薬という治療体系ができました。漢方の世界において、大麻の種子は「麻子仁《ましにん》」または「火麻仁《かまにん》」、雄株の花穂は「麻花《まか》」、雌株の花穂は「麻蕡」、葉は「麻葉《まよう》」、茎の繊維は「麻皮」、根は「麻根」とそれぞれ呼び名があり、大麻のすべての部位が漢方薬として用いられていたのです。

また、1596年に本草学の基本書として上梓され、日本にも大きな影響を及ぼした中国の漢方薬の史料『本草綱目《ほんぞうこうもく》』には、1892種の医薬品が収載されています。「大麻」ももちろん掲載されており、花、葉、種子、根は健忘症、疼痛、便秘、婦人病などに効く薬であると紹介されています。

他にも、医師の寺島良安が編纂した日本初の百科事典『和《わ》漢《かん》三《さん》才《さい》図《ず》会《え》』（1712年）では、大麻の花穂を摂取することで健忘症などに、種子を摂取することで母乳の分泌促進、産後の病状や便秘などの薬として利用できるとされていました。これら、漢方薬の文献に書かれた薬効をまとめると、次ページの表のようになります。

後述しますが、特に麻蕡は薬理成分であるTHCおよびCBDなどのカンナビノイド（大麻に含まれる化学物質の総

『本草綱目』に図をつけた『本草図譜』（1828年）に掲載された大麻草の雌株

称）を多く含む部位であり、近年の研究成果と比較しても見事な適用疾患の一致が見られます。

インド大麻と麻子仁

明治時代になり、日本社会は西洋社会のさまざまな優れた制度や技術を積極的に導入します。その一つに、いわゆる西洋医学がありました。漢方を含む東洋医学が古代中国で生まれ、体の不調に対し、全身や内側からアプローチする方法である一方、西洋医学は体の悪い部分に注目

漢方薬の文献に書かれた大麻の部位と薬効

名称と部位	薬効
麻子仁（種子）	便秘、疲労回復、血流改善、関節痛、筋肉けいれん、利尿、口の渇き、身体腹部痛、虚弱体質、月経不順、嘔吐、切り傷、火傷、膿耳
麻花（雄株の花穂）	リウマチ、月経不順、健忘症（認知症）、悪性のおでき
麻蕡（雌株の花穂）	鎮痛、鎮けいれん、リウマチ、関節痛、筋肉痛、けいれん、不眠症、ぜんそく
麻葉（葉）	マラリア、喘息、回虫駆除、鎮痛、麻酔、利尿

して、投薬や手術といった方法で治療していくもので、現在ではほとんどの先進国で主流となっています。明治新政府はドイツ医学を模倣し、１８８６年には日本国内における医薬品の規格基準書である『日本薬局方《にほんやっきょくほう》』を発行しました。そのなかには「印度大麻草」「印度大麻エキス」「印度大麻チンキ」が収載されています。この時点で、大麻は公的な医薬品だったのです。日本国内に自生していたそれまでの「繊維型」の大麻とは異なり、海外から輸入された大麻を「インド大麻」と呼び、花穂や葉の部分は主にぜんそく薬、鎮痛薬として用いられました。これらは、『日本薬局方』に65年間に渡って収載されていました。

しかし、第二次世界大戦後、日本ではドイツ医学からアメリカ医学へと方針転換が起こり、日本薬局方から「大麻」の文字が消えました。これは１９４８年の大麻取締法によって医療使用が全面禁止になった3年後、１９５１年のことです。この背景には「西洋医学を勉強した者のみを医師とする」という法律の存在があり、医学教育・基礎研究・臨床のすべてが西洋医学に基づくものとなったのです。

このような紆余曲折を経ましたが、漢方は生き残りました。西洋医学を学んだ漢方医たちの地道な努力の積み重ねによって、近年では医学教育の一部にも取り入れられています。その結果、昔ながらの生薬や漢方薬が２００６年の『日本薬局方 第15局改正』で正式に収

『第4改正日本薬局方注解』に掲載されたインド大麻（1921年）

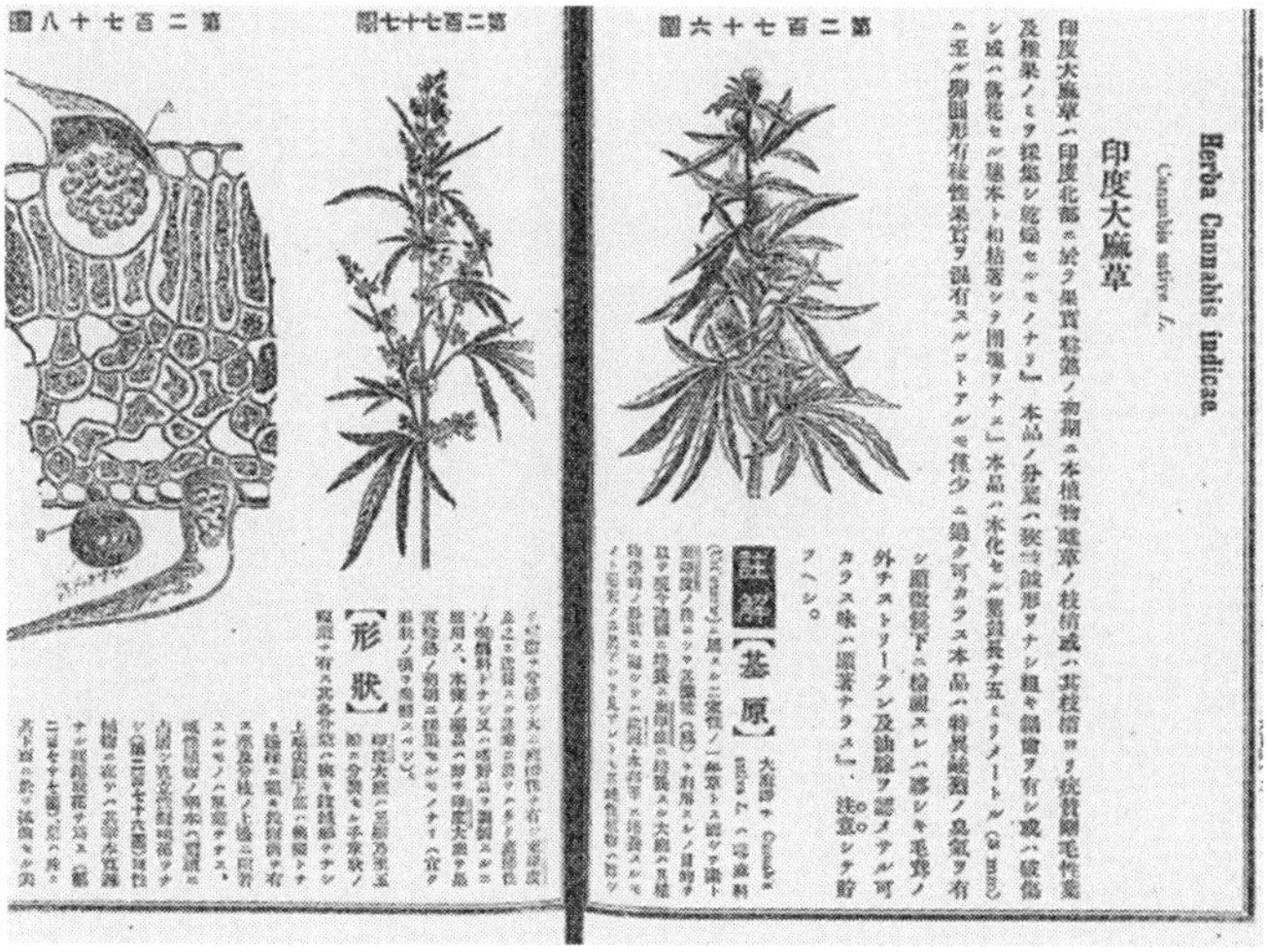
第二百七十六圖
Herba Cannabis indicae.
印度大麻草
Cannabis sativa L.
印度大麻草ハ印度北部ニ於テ果實結熟ノ初期ニ本植物雌草ノ枝梢或ハ其枝梢ヨリ...
第二百七十七圖
第二百七十八圖

インド大麻の広告

載され、局外扱いであった大麻の種子・麻子仁も収載されることとなりました。2021年4月現在、新薬承認に必須であるエビデンスが十分とは言えないものの、「古くから使われてきた」という理由で、麻子仁は正規の医薬品に格上げされたのです。麻子仁は今日においても、虚弱な人の常習性の便秘や頻尿の改善の生薬として用いられています。しかし、他の部位は残念ながら現在の漢方の理論体系からは外れてしまっています。

ここまで述べてきたように、日本人は大麻を薬として用いてきました。数年前、ワイドショーで「『医療大麻』などというものはない」と断言したコメンテーターがいましたが、長く漢方薬・民間薬として使用され、『日本薬局方』には現在も大麻の種子が収載されている事実はもっと知られてほしいと思います。

また、日本の「繊維型」の大麻も、時には薬として利用されていたようです。『釣りキチ三平』などで知られる漫画家・矢口高雄の自伝的エッセイ漫画『ボクの手塚治虫』には、この民間療法を描いた貴重なシーンが出てきます。このシーンでは日射病の薬として大麻の葉が用いられていますが、まさしく「沈痛」「麻酔」の効果を発揮しています。

ちなみに、東京都の小平市には、昭和21年設立の東京都薬用植物園という施設がありま

大麻を使った民間療法

出典：矢口高雄『ボクの手塚治虫』（毎日新聞社）

す。その名のとおり、多種多様な植物を収集・栽培しています。園内には厳重な管理の中、「薬用植物」として大麻も栽培しています。実際に大麻が生えている様子を見学できますので、機会があればぜひ訪れてみてください。

日本における医療利用の行方

冒頭にも書きましたが、近年、海外の報道などを通じて「医療大麻」という言葉を聞く機会が増えています。大麻の医療利用が再び注目を集める背景には、1990年代の「エンド・カンナビノイド・システム」の発見があります。人間は体内で「内因性カンナビノイド」という成分をつくり出し、神経や免疫バランスを調節しており、この生化学的信号伝達システムを「エンド・カンナビノイド・システム」と呼びます。内因性カンナビノイドの成分は、大麻に含まれる物質・カンナビノイドと非常に近い成分です。カンナビノイドとは、炭素数21の化合物で100種類以上あり、よく知られているのがマリファナの主成分で有名なTHC（テトラ・ヒドロ・カンナビノール）と向精神作用のないCBD（カンナビジオール）です。これらについての詳細な説明や、その他のカンナビノイドについて気になる方は、ぜひ『カンナビノイドの科学』（2015年）などの専門書をご参照ください。

このエンド・カンナビノイド・システムの発見以降、大麻の医療利用は一気に進展しました。1996年のカリフォルニア州では、「コンパッショネート・ユース（未承認薬の人道的使用）」の観点から、住民投票による医療大麻の合法化が行われました。その後、アメリカ各州だけでなく、イスラエル、オランダ、カナダ、ドイツをはじめ多くの先進国で合法化され、研究や商品開発、法整備などが急速に進んでいます。

大麻の医療利用には、大きく分けて二つの形態があります。一つはいわゆる「医薬品」の形態です。大麻の特定成分を抽出したもので、「カンナビノイド医薬品」などと呼ばれ、多発性硬化症やてんかんなどへの効果が期待されています。厳格な品質管理基準を満たす必要があり、医師などが管理します。もう一つが「薬草」として用いる形態です。主に喫煙によって摂取しますが、こちらの形態を一般的には「医療大麻」と呼びます。西洋医学の「代替補完医療」という位置づけであり、マリファナの喫煙との線引きが難しいのが特徴と言えます。日本における「医療」という言葉から想起されるイメージとは異なり、「ウェルネス」「養生」といった言葉の方が適切かもしれません。西洋医学の観点からは評価が難しい形態ですが、合法化した国や地域での適応疾患リストは、てんかん、神経性難病の鎮痛、偏頭痛、クローン病、統合失調症、リューマチ、緑内障、拒食症、認知症など多岐にわたり、この適用範囲の広さが、多くの国や地域で合法化が進む理由となっています。

また、2020年に大麻の医療利用に関して歴史的といえる出来事がありました。大麻に関する各国の規制は、国際条約に基づいて制定されていることがほとんどですが、WHO（世界保健機関）のECDD（依存性薬物専門家委員会）が2019年1月に大麻およびカンナビノイドの医療的価値を認める勧告を行ったのです。国際的な薬物の統制には「スケジュール・リスト」というシステムが採用されており、これによって薬物の有害性や医療価値について評価が下されます。2019年のこの勧告によって、それまでヘロインやモルヒネなどと同じとされていた大麻およびカンナビノイドの評価の変更が促されました。

そして、2020年12月、国連の麻薬委員会（CND）は53カ国による投票を行い、WHOの勧告を批准しました。この結果、世界各国での大麻の医療利用に関する規制緩和や市場の動きはさらに加速することになりました。ちなみに、日本は反対票を投じました。

海外の動きとは対象的に、日本は「原則的に大麻から製造された医薬品は禁止、研究も禁止」という状況ですが、まったく動きがないわけではありません。近年のトピックをいくつかご紹介します。

2007年から15年まで、大手製薬会社である大塚製薬はイギリスGW製薬と共同研究を行い、THCとCBDを含む医薬品「サティベックス」のガン疼痛などの臨床研究に大きく貢献しました。2015年に設立された日本臨床カンノビノイド学会は現在、200名を超える医療従事者や研究者が在籍しており、学会などを定期的に開催しています。2017年、大手分析装置メーカーである島津製作所はカンナビナイド分析装置を開発し、北米市場で順調に売り上げを伸ばしています。2019年には秋野公造参議院議員の答弁により、厚生労働省から「治験を行うことは可能」との回答を得て、カンナビノイド医薬品の臨床試験が可能となりました。聖マリアンナ大学病院と沖縄赤十字病院で、重篤なてんかん患者向けの製剤「エピディオレックス」の臨床試験がスタートする予定となっています。

また、向精神作用がほとんどない成分CBDは、近年は日本でも流行の兆しを見せています。ストレスや不眠に効果があるとされ、医薬品ではなく、健康食品や化粧品といった扱いで、さまざまなブランドの商品が広く流通しています。伊勢丹やドン・キホーテなど、大手小売店の棚に並ぶほど普及しています。しかし、雑誌などのメディアで大きく紹介される一方、消費者トラブルや過度に効果を謳った誇大広告、マルチ商法を行う業者の参入など、一部混沌とした状況となっています。

私たちは、CBDは多くの方が大麻について想起する「悪いイメージ」を払拭するためのいい契機となると考えています。一時的な流行で消費されてしまうのでなく、日本人の生活の一部となることを願っています。

第 9 章

模様

chapter 9

Pattern

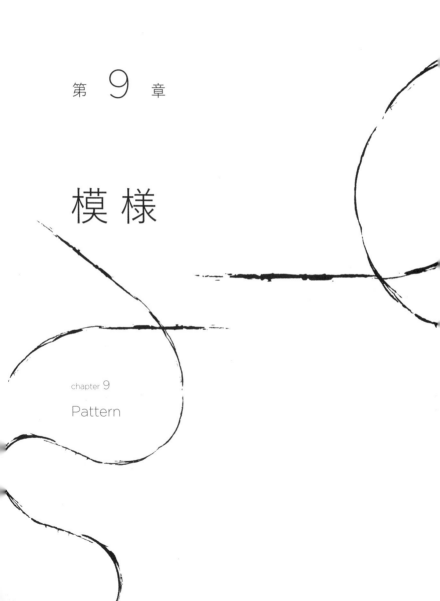

麻の葉模様の誕生

麻の葉模様は正六角形を重ねたデザインで、根強い人気のある伝統的な和柄です。その名が示すように「麻の葉」に似ていることから名づけられていますが、「麻の葉」はより正確に言えば「大麻の葉」です。

現在も着物や和雑貨をはじめ、目にしたことがない日本人はほとんどいないのではないかというほどポピュラーな存在であり、意識しているとありとあらゆる場所にこのデザインが採用されているのを発見できます。しかし、「麻の葉」が「大麻の葉」であることを知る日本人は多くないのではないでしょうか。

この模様がいつ誕生したのかについては不明です。誰がつくったのか、いつ「麻の葉」と名づけられたのかも不明という謎多き存在です。理由は簡単で、手がかりとなる資料がほとんど残っていないためです。しかし、残された断片をつなぎ合わせると、見えてくる事実もあります。

スタンダードな麻の葉模様

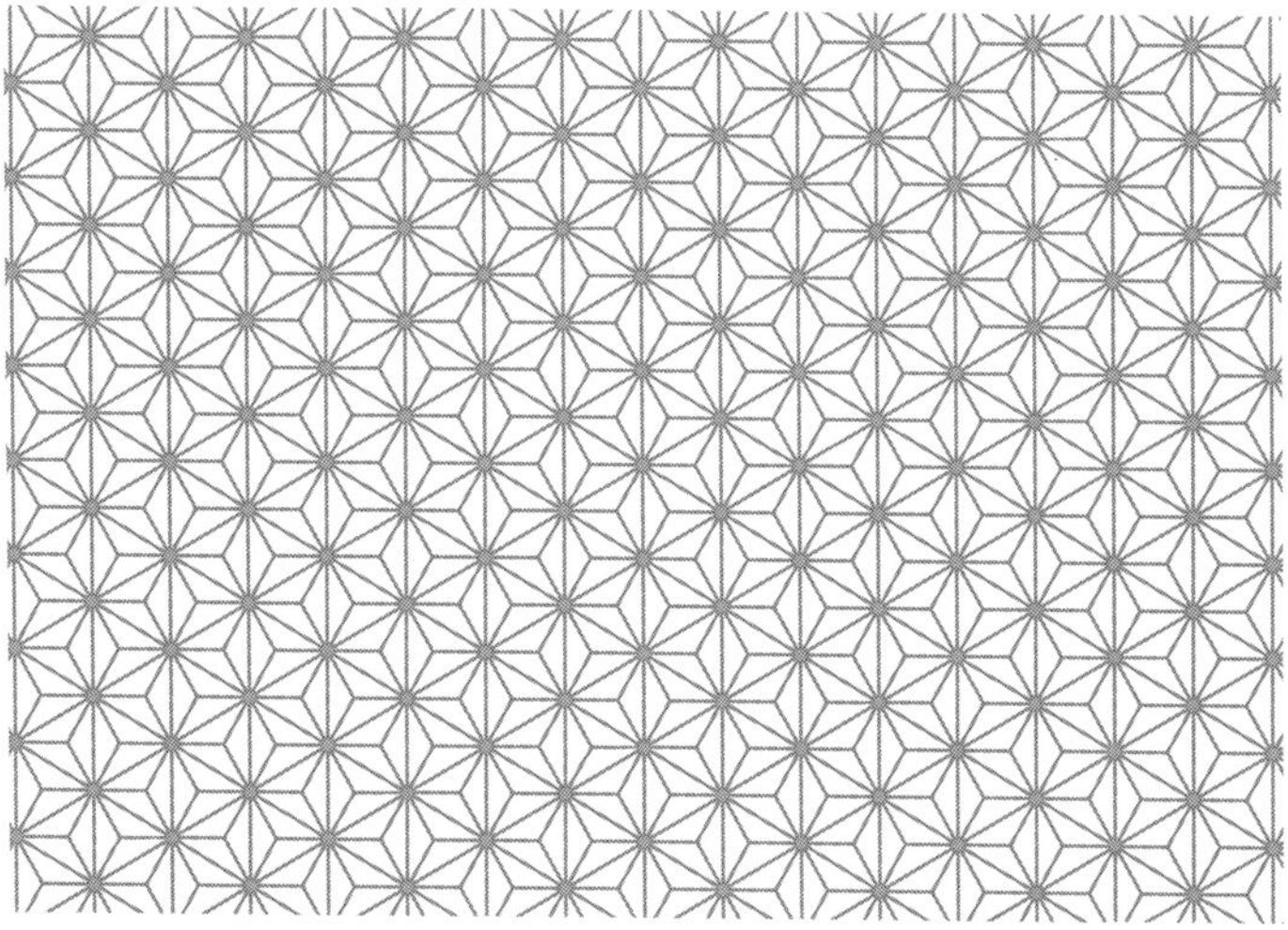

上から見た大麻畑

麻の葉模様は約８００年前、鎌倉時代の日本で図柄が先に生まれ、「麻の葉」と名づけられたのは江戸時代頃だったと考えられます。インターネット上などには平安時代に誕生したという情報も散見されますが、私たちの調査では鎌倉時代だと推定しています。大陸経由の仏教美術の文脈のなかから、幾何学模様の一つとして誕生し、のちに身近な農作物であった「大麻」の「葉」に似ていたことから「麻の葉模様」と名付けられました。

現存する最古の麻の葉模様は、京都の大報恩寺にある仏像、優婆離《うぱり》立像《りゅうぞう》（１２１９年頃製作）の着衣に見ることができます。巻頭に掲載した写真がそれです。截金《きりかね》と呼ばれる薄く延ばした金やプラチナを細く切り、貼りつけ、模様を表現する装飾技法を用い、麻の葉模様を表現しています。この仏像は、奈良の東大寺南大門の金剛力士像（国宝）をつくった仏教彫刻家で、同じく慶派の運慶と共に歴史に名を刻んだ快慶の作品です。

「図柄が先」と書きましたが、そのルーツは中国にあった四角形ベースの古代幾何学模様と考えられます。宋時代にはこの古代幾何学模様を基に、六角形ベースの麻の葉模様と類似したデザインがつくられました。この麻の葉模様と類似したデザインが海を渡り、日本の仏師たちがそのまま仏像などに用いていた時期が続きます。快慶の作品では、京都・遺迎院の阿弥陀如来像（1194年）、奈良・東大寺の阿弥陀如来像（1203年）がそれです。ところが前述した京都・大報恩寺の優婆離立像の着衣には標準的な麻の葉模様が用いられています。

これらの事実をつなぎ合わせると、少なくとも快慶が活動していた時代に、日本における麻の葉模様の図柄が完成したといえそうです。東京藝術大学大学美術館所蔵の毘沙門天立像（1224年）、奈良・西大寺の愛染明王坐像（1247年）など、近い時期につくられた仏像にも麻の葉模様が確認できることから、幾何学模様としての美しさ、描きやすさなどもあって、仏師の間で定着していったと考えられます。

その後、麻の葉模様は仏像だけでなく、仏教の世界観を表した繍仏《しゅうぶつ》、曼荼羅《まんだら》、仏教絵画などにも採用され、少しずつ広まっていきました。その誕生や伝播した経緯については、当館が出版した『麻の葉模様　なぜ、このデザインは八〇〇年もの間、日本人の感性に訴え続けているのか？』にくわしく記しました。機会があればご覧いただけると幸いです。

余談ですが、海外から当館に来られたお客さんに「海外の大麻の畑は、麻の葉模様に見えない」という話を聞いたことがあります。海外の畑は、日本の畑のように整然と畝を立てたりせず、密度もまばらであるため、麻の葉模様のように見えないのかもしれません。

「不易の紋」として確立

主に仏教美術の世界で用いられていた麻の葉模様は、江戸時代初期には着物の柄の一つとなっていたという記録が残されています。当時のファッション雑誌である『小袖模様《こそでもよう》雛形本《ひいながたぼん》』の中で最も古い『御ひいなかた』（１６６６年）では小袖の柄として紹介され、同じく江戸時代初期に活躍した浮世絵師の菱川師宣の「美人絵づくし」（１６８３年）では麻の葉模様を着た女性が描かれています。この頃には「麻の葉」という名前で呼ばれていました。

このあと、麻の葉模様は二人の歌舞伎役者によって、爆発的に流行することとなります。五代目岩井半四郎は１８０９年、江戸の森田座で興行した「其往昔恋江戸染《そのむかしこいのえどぞめ》」の一幕「八百屋お七」でお七を演じた際、衣装に麻の葉模様を取り入れました。浅葱色《あさぎいろ》（薄い藍色）を地色にし、直線ではなく、点線をつないだ鹿《か》の子《こ》絞《しぼ》りの麻の葉模様は当時の女性の間で大

歌川国貞によって描かれた「八百屋お七」(1860年)

流行となり、半襟、袖、裾回し、帯などさまざまな場所に取り入れられました。同じ頃、嵐《あらし》璃寛《りかん》は「染模様妹背門松《そめもよういもせのかどまつ》」でお染を演じた際、幾度も衣装や帯を取り換えながらも、必ず麻の葉模様で登場しました。他の模様を使わず印象的だったことから、京都や大阪の女性の間で話題となりました。

当時のファッションリーダーであり、絶大な影響力のあった二人の歌舞伎役者が生み出した麻の葉模様の流行は、衣類の柄だけに留まらず、本の表紙デザイン（麻の葉表紙本）、本の綴じ方（麻の葉綴じ）、刺繍（背紋飾り）、建具（組子細工）、竹細工（麻の葉編み）、和紙（麻の葉透かし柄）など、多方面へ波及していったのです。

江戸時代後期に活躍し、世界的に有名な浮世絵師である葛飾北斎も、この模様の発展に大きく貢献しています。そもそもは絵の指南書として企画されたものの、庶民から武士まで幅広い層からの支持を集めたベストセラーとなり、全十五編が発行された『北斎漫画』（1814～78年）では、描き方などと合わせて、麻の葉模様を紹介しています。さらに、北斎が独自に考えたデザイン集であり、主に着物のパターンを考える際に活用された『新形小紋帳』（1824年）では、松皮麻の葉、捻れ麻の葉、八つ手麻の葉、輪違い麻の葉、麻の葉くずしなど12種類のバリエーションを新たに創作しています。どれも工夫を凝らした美しいデザインであり、現在も「北斎模様」として認知されています。

同じく江戸時代後期の三都（江戸、京都、大阪）の風俗や事物を説明した一種の百科事典『守貞漫稿《もりさだまんこう》』という書籍があります。ここで「麻の葉形は不易（時代を通じて変わらないこと、不変）の紋と云うべし」と記されています。麻の葉模様はこの頃すでに、流行に左右されないスタンダードなデザインという評価を確立していたのです。

また、麻の葉模様といえば、赤ちゃん

建具の組子細工

提供：株式会社タニハタ

の産着を思い出す方が多いのではないでしょうか。この模様が産着に使われるようになったのは、大乗仏教の一つである密教の「童子経法《どうじきょうほう》」と深い関係があると考えられています。かつて、乳児は現在と比較にならないほど育ちにくく、生まれたての赤ちゃんの保命長寿のための教えとして、童子経法などの信仰が盛んでした。この童子経法の世界観を描いた曼荼羅に、麻の葉模様が見られます。おそらく、童子経法の教え、お祓い具としての麻の葉、産着の麻の葉模様がどこかのタイミングで結びつき、魔除けや厄除けの意味を持つようになったと考えられます。現在では童子経法の教えは忘れられ、

赤ちゃんの産着の定番柄

『北斎漫画』に描かれた麻の葉模様

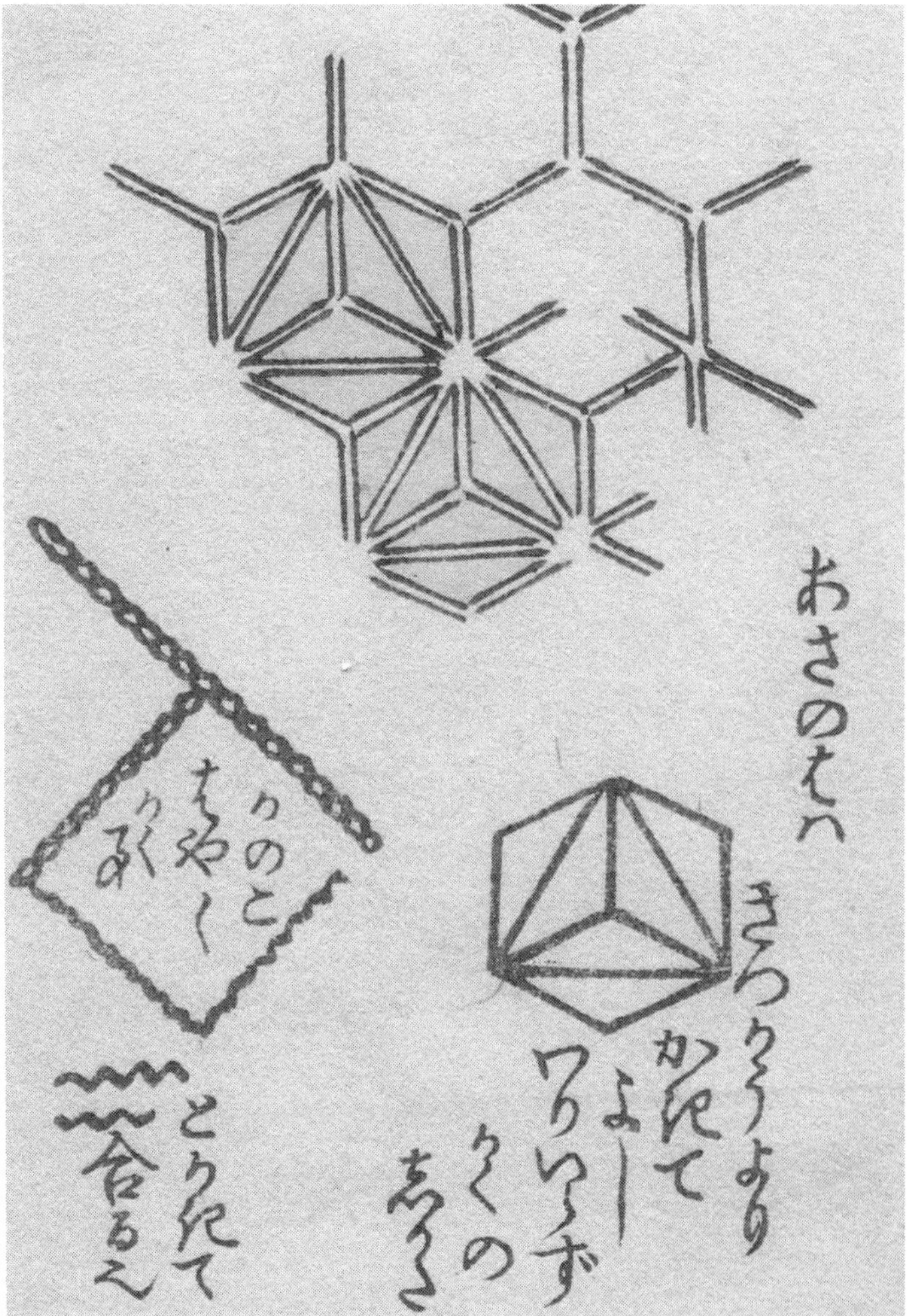

麻が短期間で大きく成長することから、生まれた赤ちゃんがすくすく成長するという意味で捉えられ、子どもの成長を願う縁起のよい模様として、定番となっています。

日本を代表するデザインへ

1948年に制定された大麻取締法によって大麻という農作物が規制の対象となっても、化学繊維の普及に伴い大麻繊維の需要が激減して以降も、麻の葉模様は忘れ去られることなく生き残りました。そして大麻が「違法な薬物」というイメージ一辺倒となった現代においても色あせることなく、ポピュラーな和柄として完全に定着しています。

たとえば、飲料や食品のパッケージ、店舗デザイン、鉄道など交通機関、アパレル、テレビ番組のセットなど、あらゆるところで目にできます。

日本郵便が2016年に発行した切手「和の文様シリーズ第1弾」では、世界遺産にも登録された日本を代表する名所、富士山とコラボレーションしています。義務教育である中学の数学や家庭科の教科書に取り上げられ、2019年に日本で開催されたラグビーW

東京スカイツリーの天井

東京メトロ日比谷線の荷物棚

杯では、日本代表のユニフォームをはじめ会場などでも印象的に用いられていました。また、全国トップクラスの進学校として知られる麻布学園の校章は麻の葉模様です。

近年、麻の葉模様といえば「週刊少年ジャンプ」で連載され、映画が記録的なヒットとなった『鬼滅の刃』を思い出す人も多いのではないでしょうか。主人公である竈門炭治郎《かまどたんじろう》の妹・禰豆子《ねずこ》の衣装に描かれたピンクが地色の麻の葉模様は、炭治郎の衣装に描かれた緑と黒の市松模様と共に大きな流行となりました。

他にも、コロナ禍により現在は延期となっていますが、2020年に開催される予定だったドバイ国際博覧会（ドバイ万博）の日本館の外装は麻の葉模様と発表され、公式サイトでも大胆に麻の葉模様をあしらっています。正直、これは驚きました。もちろん行政の担当者の方々も日本を象徴するデザインとして、海外に発信したいとGOサインを出しているのでしょうが、本当に「大麻の葉」を表現した模様であることをわかっているのかについては、少し不安です。

また、この模様は国内だけでなく、グリーンラッシュに湧く北米などにおいても広がりを見せています。インスタグラムなどのSNS上では「asanoha」という表記で、海外から

麻の葉模様の着物を着る竈門禰豆子

出典：吾峠呼世晴『鬼滅の刃 15』（集英社）

の投稿が数多くあります。多くのブランドが乱立する海外の大麻産業界においては、他社との差別化を図るため、この模様をロゴや商品デザイン、パッケージなどに採用する企業や団体も少なくありません。大麻の存在が日本社会ではタブーとなっている反面、大麻の葉がモチーフとなった麻の葉模様は、日本を代表するデザインとなり、さらには海外へと広がりはじめているのです。

第 10 章

法

chapter 10

Law

アメリカの紆余曲折

これまで述べてきたように、大麻は日本人の営みを支え続けてきた身近な農作物でした。しかし、現在の日本では「麻」の美称であったはずの「大麻」という言葉を口に出すことさえはばかられるようになっています。この問題については、第1章では「名称」の面からご説明しましたが、本章ではより直接的な問題である「法律」の面から迫っていきます。

世界的な大麻への規制は、1912年にオランダのハーグで行われた第1回国際アヘン会議からはじまります。アメリカ代表から向精神作用のある「インド大麻[※1]」の問題が提案され、「今後、その乱用の規制を対象として、統計的および科学的見地から、インド大麻問題の研究がなされることが望ましいと考える」と決議されました。

1925年、スイスのジュネーブで行われた第2回国際アヘン会議では、エジプト代表が自国におけるインド大麻乱用の被害を訴え、「大麻を国際的規制により統制されるべき危険薬品リストに加えるべきである」と提案しました。その結果「国際アヘン条約」が締

[※1] 第1章の3分類「繊維型/中間型/薬用型」のうち「薬用型」にあたる（p.15参照）。

結され、本格的にインド大麻の規制が始まりました。

これを受け、日本でも１９３０年に「麻薬取締規則（内務省令17号）」が制定され、取り締まり対象としてモルヒネ類、コデイン類、コカイン、インド大麻草およびその樹脂を規定しています。しかし、日本で利用していた農作物としての大麻とインド大麻は別のものと考えられており、国内の大麻は規制されませんでした。この時点では、日本の大麻農家にはなんの影響もなかったといえるでしょう。

同じ頃、アメリカは大麻の厳しい取り締まりをはじめました。１９３２年の「統一麻薬法」で、アヘンとマリファナを同様に「麻薬」と定義し、１９３７年に連邦法として「マリファナ課税法」を制定しました。この課税法の目的は、マリファナを制限することでしたが、日本とは異なって農作物としての大麻とマリファナが区別されていなかったため、大麻農業もまた取り締まられることとなりました。

ちなみに、アメリカでインド大麻が「マリファナ」と呼ばれるようになったのは、メキシコ革命（１９１０～１７年）の英雄パンチョ・ビリャ軍が好んで歌ったメキシコ民謡「ラ・クカラチャ」の歌詞に由来するといわれています。「クカラチャ」とはゴキブリ、あぶら虫のことで、この歌詞のなかに登場する「marihuana（マリファナ）」という単語がアメリカに広まりました。

また、当時のアメリカでは大麻は医薬品としても用いられていたため、米国医師会の法律顧問ウィリアム・C・ウッドワード博士は「私はマリファナよりも、カナビスという用語を好む。なぜなら、カナビスこそがこの植物自身やそれからつくられる製品を示す正しい用語だからである。マリファナはメキシコとの国境を越えて入り込んできた混血語であり、喫煙用カナビス調合品を示す以外には一般的な意味を持たない」と発言してもいます。

太平洋戦争がはじまると、アメリカは大麻に関する方針を一変させました。日本の東南アジア進出に伴い、マニラ麻やジュート麻の供給源が絶たれたため、軍需用の資源として大麻の栽培を奨励し、1942年には『HEMP FOR VICTORY（勝利のために大麻を）』という広報映画を農務省が制作し、「GROW HEMP FOR THE WAR（戦争のために大麻を栽培しよう）」という啓蒙用ポスター・チラシを配布するなどしています。この当時、祖父が大麻農業を行っていたというアメリカからの来館者は「大麻を栽培することで、戦争に参加しているとみなされ、徴兵されなかった」と語っていました。しかし、戦争が終結すると、

GROW HEMP FOR THE WAR

アメリカは再び規制に向かいます。なお、第1章で大麻の名称に関する問題について書きましたが、アメリカでも「カナビス」「マリファナ」「ヘンプ」などと言葉の混乱が起きていたのは興味深い事実です。大麻に関して考えるうえで、やはり名称は避けては通れないポイントといえます。

アメリカにおけるこうした紆余曲折を、2分というコンパクトな時間で見事に描いた作品があります。2015年に全米初の大麻小売店を開業し、いまや業界大手となったベンチャー会社メドメン（MedMen）が制作したテレビCMで、ビースティー・ボーイズやビョークなどのミュージックビデオでも知られる映画監督スパイク・ジョーンズの手によるものです。"The New Normal"とタイトルのついたこのCMは、アメリカ初代大統領ジョージ・ワシントンが所有する大麻畑からスタートします。この時代、大麻の栽培はアメリカでも「normal」なことでした。しかしその後、「ストップ&フリスク」と呼ばれた警察官による路上での所持品検査、1936年につくられた『リーファー・マッドネス』というマリファナの有害性を啓発した政府主導のキャンペーン映画などを通じ、「normal」ではなくなった様子が表現されます。そして、1960年代後半からのフラワームーブメント[※2]を経て、「カウンターカルチャーのシンボルだったそれは、やっと普通のカルチャーになった。それは、再び普通になったんだ。ニューノーマルに」というナレーションと共に現在の、大麻が人々の日常となった様子が描かれます。この映像はインターネット上で視聴できますので、機会があればぜひご覧ください。非常に感動的です。

さて、このようにアメリカでは「再び普通に」なった大麻ですが、日本においてもそうなることができるのでしょうか。

本植物を絶滅せよ——大麻取締法の制定

日本の話に戻ります。明治時代以降、大麻の生産量は落ち続けていました。しかし、政府は1942年に原麻生産協会を設立し、麻類の増産奨励を行っています。長野県大麻協会が発行した『大麻のあゆみ』には、太平洋戦争当時、全生産量の90％が軍需用だったと記録されています。敗戦後の1945年、日本はポツダム宣言を受諾し、連合国軍最高司令官総司令部（GHQ）の占領下に置かれました。アメリカ軍が主体となったGHQが日

[※2] 1960-70年代のアメリカで起こった、ベトナム戦争に反対して「平和と愛の象徴」として花で身体を飾る運動。「武器ではなく、花を」がスローガン。

本を占領したため、ＧＨＱには米軍の印象が強いのですが、本来は11カ国で構成された極東委員会の決定を遂行する機関でした。

同年10月12日、ＧＨＱは「日本に於ける麻薬製品および記録の管理に関する件」という覚書（メモランダム）を発行しました。麻薬の定義は「あへん、コカイン、モルヒネ、ヘロイン、マリファナ（カンナビス・サティバ・エル）、それらの種子と草木、いかなる形であれ、それらから派生したあらゆる薬物、あらゆる化合物あるいは製剤を含む」とされ、当時の厚生省はこの指令に基づき11月24日、厚生省令第四六号「麻薬原料植物の栽培、麻薬の製造、輸入及輸出等禁止に関する件」を交付しました。しかし、日本人はこの時点でもまだ戦前と同様、「マリファナとはインド大麻のことであり、農作物としての大麻は無関係である」と考えていました。そのため１９４６年春から夏にかけて、例年どおりに大麻の栽培は行われていました。

ところが、１９４６年にある事件が起こります。ＧＨＱの京都軍政部により、京都府で栽培されていた大麻が発見され、農家2名を含む4名の民間人がＧＨＱの命令違反で検挙されたのです。不運にも、彼らが日本の大麻取扱事件の初の摘発者となりました。京都府

GHQメモランダム

GENERAL HEADQUARTERS
SUPREME COMMANDER FOR THE ALLIED POWERS

APO 500
12 October 1945

AG 441.1 (12 Oct 45)PH
(SCAPIN - 130)

MEMORANDUM FOR: IMPERIAL JAPANESE GOVERNMENT.

THROUGH : Central Liaison Office, Tokyo.

SUBJECT : Control of Narcotic Products and Records in Japan.

1. The planting, cultivation, or growth of narcotic seeds or plants is prohibited. All narcotic seeds or plants which are now planted, being cultivated or grown will be destroyed immediately. The quantity so destroyed, date and method of destruction, location and ownership of the fields or areas will be reported to the Supreme Commander for the Allied Powers within thirty days.

2. The importation of narcotics by any person is prohibited except as authorized by the Supreme Commander for the Allied Powers.

3. The exportation or manufacture of narcotics is prohibited.

4. All stocks of crude, semi-processed or smoking opium; crude or semi-processed cocaine; heroin and marijuana (Cannabis Sativa L) are hereby frozen and the removal, destruction, use or sale thereof or of any books or records thereof is prohibited except as authorized by the Supreme Commander for the Allied Powers.

5. All existing records of narcotic transactions in narcotics shall be maintained.

6. Definitions:

a. Narcotic or Narcotics shall include Opium, Cocaine, Morphine, Heroin, Marijuana (Cannabis Sativa L), their seeds and plants, and every substance in any way derived therefrom, or any mixture or preparation thereof.

b. Heroin shall include any derivative, compound, salt, mixture, or preparation thereof.

1

は麻薬採取の目的ではなかったことを訴え、京都大学薬学科、刈米・木村両博士の鑑定書を添付し、インド大麻ではないことを証明しようとしました。しかし、関係者の努力は実らず、「その栽培の目的如何にかかわらず、また麻薬含有の多少を問はず、その栽培を禁止し、種子を含めて本植物を絶滅せよ」との命令が下されたのです。

占領期とはいえ、「植物を絶滅せよ」という命令は常軌を逸しているとしか思えません。この状況を放置しておけば、衣料や漁網などの生活用品を生産できなくなります。専業の大麻農家も少なくなかったため、数万人規模で農家の困窮が起きます。さらに、大麻の種子はお盆を越すと発芽率が著しく悪くなるため、一年以上この状況が続いて発芽する種子が激減すれば、大麻農業は壊滅的な打撃を受ける危険がありました。

こうした報告を受け、占領下にあった政府はGHQへの事情説明と折衝を続けました。農林省は1946年11月に農政局長名で、終戦連絡事務局（GHQとの折衝を担当する機関）に大麻の栽培許可を要望しています。全面的な禁止を回避し、「農作物としての大麻」を守ろうとしたのです。

国を挙げての再三にわたる折衝の結果、1947年2月、連合軍総司令官より「繊維の採取を目的とする大麻の栽培に関する件」という覚書が出され、一定の制約条件の下、大麻栽培が許可されました。制約とは、栽培許可面積を全国で5000町歩とし、栽培許可県を青森、岩手、福島、栃木、群馬、新潟、長野、島根、広島、熊本、大分、宮崎県に限るというものです。このときに初めて、日本の大麻を規制する厚生・農林省令第一号「大麻取締規則」が制定されたのです。法制定に関わった元内閣法制局長官の林修三氏はのちの1965年「時の法令530号」で、「先方は、黒人の兵隊などが大麻から作った麻薬を好むので、ということであったが、私どもは、なにかのまちがいではないかとすら思ったものである」と語っているほどです。

同年9月、昭和天皇が栃木県国府村（現・栃木市国府町）を訪問されています。「国府村農協組合にて大麻製造御高覧」という説明文がついた写真が残っていますが、ご訪問の真意はわかっていません。巻頭に掲載した写真はその当時のものです。国府町で伺った話によると、大麻農業の存続を危惧して動揺する農民たちを、「これからも大麻はつくれるから、安心してください」と励ますためだったとされています。

生物学者であり、植物にも造詣が深かった昭和天皇の有名な言葉に「雑草という草はない。どんな植物でも、みな名前があって、それぞれ自分の好きな場所で生を営んでいる。

人間の一方的な考え方でこれを雑草と決めつけてしまうのはいけない」というものがあります。占領下におけるGHQの命令に、心を痛めておられたのではないでしょうか。

その後、大麻の取り締まりを強化するため、前年までの取締規則を法制化するようGHQから要請があり、1948年7月10日に「大麻取締法」が制定されました。同時に「麻薬取締法」が制定されましたが、これは農家が取り扱う従来の農作物としての大麻と、医師などが取り扱う麻薬類を分けるための措置でした。

この法律の問題点については、言及すべき箇所が数多くあるのですが、最も大きな問題と考えられる点を紹介します。それは、**通常の法律は「総則」の冒頭に制定の「目的」が書かれるのですが、なぜか大麻取締法にはこの目的が書かれていないまま70年以上が経過しているという点です。**このため、そもそも農家を保護するための苦肉の策だったものが、いつの間にか大麻事犯を取り締まる法律へと変化しているのです。法律の全文は巻末に掲載しましたので、ぜひご覧いただけると幸いです。

また、日本が主権を回復した際には、大麻取締法の廃止が前提条件となっていました。1952年、サンフランシスコ講和条約が発効され、日本の主権が回復し、占領時の法制について再検討が行われます。大麻取締法の廃止は優先順位が高く、内閣法制局は少なくとも栽培免許制の廃止を行うよう働きかけました。厚生省も同様に取締法の廃止の必要性を認めていたものの、決定には至らず、見送られることになったのです。

ここまで、大麻取締法が制定されるまでの流れを時系列で追いかけました。強調しておきますが、**大麻取締法は本来、「農作物としての大麻」を守り抜こうとした結果でもある**のです。

大麻取締法が制定された1948年、大麻栽培の免許取得者数は2万3902人でした。その数は意外なことに年々増加し、1954年には3万7313人となっています。増加の要因は戦後の復興需要に伴うもので、1950年に発行された『実験麻類栽培新編』によると、当時の大麻繊維の利用先は下駄の芯縄52%、畳経糸32%、漁網12%、荷縄4%でした。しかし、1954年を境に免許取得者は減少に転じ、1964年には7042人、1974年には1378人まで激減。その要因は高度経済成長期の生活スタイルの急激な変化です。化学繊維の普及も進んだことから、それまでは大麻でなければ担えなかった需要が、急速に失われていったのです。

また、この間の国際的な動きに、1961年に国連が採択した「麻薬に関する単一条約」があります。この条約で大麻が指定されたことから、世界的に大麻への規制圧力が高まりました。日本がこれまでに大麻取締法を廃止できなかった大きな理由は、この条約にあります。

農作物としての需要が激減するなか、1960年代には欧米を中心にベトナム戦争への反対運動などを契機としたヒッピー文化が隆盛し、マリファナ喫煙が流行しました。その影響は大麻を喫煙する習慣がなかった日本にも波及しました。大麻農業の保護を目的として制定された大麻取締法はいつの間にか「違法な薬物」を取り締まるための法律として機能するようになりました。そして、農作物という側面が忘れ去られた大麻は「ダメ。ゼッタイ。」な存在へと変わっていったのです。

「ダメ。ゼッタイ。普及運動」ポスター（2019年）

出典：厚生労働省ホームページ

現状と提言

大麻は近年も、日本社会を騒がせています。相次ぐ著名人の逮捕や若年層の検挙数の増加が大きな話題となる一方、北米を中心に大きな動きとなっている「医療大麻」「マリファナの合法化」「ヘンプの産業利用」といった、グリーンラッシュに関する報道も増加し、賛否に引き裂かれた状態にあるといえます。そんななか、「農作物としての大麻」は存続の危機を迎えています。

繰り返しになりますが、大麻は日本人の営みを支えてきた農作物であり、近年、海外で再評価されている「古くて新しい農作物」です。私たちはこの農作物を、なんとか次世代へ継承したいと考えています。そうすれば、農作物としての新たな可能性も広がるはずです。そのためにも、いくつかの提言をここに記します。

まず、第1章でも取り上げた名称の問題についてです。大麻は古くからの「麻」でありながら、家庭用品品質表示法により「麻」と表示できません。消費者庁が定めるこの法律は、一般消費者の利益を保護するためのもので、時代に合わせて随時改正されています。法律が制定された1962年当時は大麻が激減している途上でしたが、海外から輸入されるヘンプ製品が増え、日本の大麻布について見直す動きが出てきている現在、「麻」の表示に「大麻」を追加してもいいのではないでしょうか。

次に、大麻取締法については、農作物の保護を第一に考えた運用を検討すべき段階だと考えます。大麻取扱者免許の申請の具体的な項目を示した施行規則によると、栽培免許については厚生労働省と農林水産省の共同管轄となっています。しかし、現在はほとんどの都道府県の窓口が、厚生労働省の業務を受け持つ薬務課になっています。薬務課は「違法な薬物」を取り締まるのが役割であり、農作物の保護という目的を持ってはいません。大麻取締法本来の目的を考えれば、大麻取扱者免許の管轄を農政課へ移し、薬務課は助言や監督をするのが妥当な役割分担ではないでしょうか。農家の負担や新規就農の困難さを軽減する意味でも、今後、法律が適切に運用されることを期待します。

最後に、「大麻」と口に出しづらい空気についてです。「違法な薬物」というイメージは根深いものがありますが、大麻は日本人の営みを支え続けてきました。時代の変化にともない、古くなったものが失われていくのは、ある意味自然の摂理だと思います。しかし、それが単に偏見や誤解を理由に失われていくのを見過ごすことはできません。メディアなどにはぜひ「大麻という農作物」についての正確な理解をしていただきたいと思います。開かれた議論ができる環境になることを望みます。

この原稿を執筆していた2021年1月、大きな展開がありました。厚生労働省の主導で、有識者による「大麻等の薬物対策のあり方検討会」が開始されたのです。検討内容は「大麻規制のあり方を含めた薬物関連法制のあり方」ならびに「再乱用防止対策（依存症対策）をはじめとした薬物関連施策のあり方」となっています。もちろん、既存の大麻農家や大麻という農作物にも、会議の行方は大きな影響を及ぼします。現行の大麻取締法にはなかったマリファナの使用罪の創設（現在は大麻の所持と栽培が禁じられている）や、カンナビノイド由来の製剤の実質的な解禁が話題になっているようで、SNSなどを中心にさまざまな意見が上がっているようです。会議の行方は注視したいですが、個々の賛否は横において、ようやく行政を含めた形で「大麻に関する議論がはじまった」という一点は肯定的に捉えたいと考えています。フェアで、前向きな議論になることを願います。

海外の大きな変革を受け、今後、日本社会においても大麻は現在よりもずっと重要なテーマとなっていくのは間違いありません。その際に、大麻は日本人の衣食住を支えてきた、身近な農作物であったという事実をぜひ思い出してください。

〈特別寄稿④〉

大麻は司法こそ取り組むべき問題

亀石倫子さん［弁護士］

1974年北海道生まれ。東京女子大学卒。2008年に司法試験に合格。2009年に大阪弁護士会に登録。刑事事件専門の法律事務所に入所し、在籍6年間で担当した刑事事件は200件以上。2016年に法律事務所エクラうめだを開設。クラブ風営法違反事件、GPS捜査違法事件、タトゥー彫師医師法違反事件では、弁護団と共に最高裁で勝訴を勝ち取った。

「大麻＝危険薬物」というイメージの源泉ともなっている、大麻取締法。海外での大麻の再評価と法整備によって、日本でも同法への注目度は高まっています。日本における大麻をめぐる法律の現状と問題点について、数々の刑事事件を扱ってきた弁護士・亀石倫子さんにお話をお聞きしました。

法律と実社会の齟齬

私はこれまで多くの刑事裁判を担当してきましたが、大麻というテーマにも取り組んでいきたいと考えています。大麻についてSNSなどで発言すると、これまで支持してくれていた人たちからも「亀石はおかしくなってしまった」「お前も吸いたいんだろう」などと偏見に基づいた声が上がることもありますが、この問題はこれまでの私の活動の延長にあります。

私が担当した、「公安委員会の許可を受けずに、客にダンスをさせるクラブを営業した」としてクラブ経営者が風営法違反の罪に問われた事件では、昭和23年につくられた古い条文を無理に適用しようとしたことで、表現の自由や職業選択の自由が脅かされました。また、「医師免許なく、客にタトゥーを入れた」として彫り師の方が医師法違反の罪に問われた事件も同様です。ファッションとして定着し、実際に愛好者がいるにもかかわらず、日本ではタトゥーの施術に関する法律がないまま、突然医師法を適用してきました。このように、法律そのものや法律の適用と実社会との間に齟齬があると、不条理な「事件」が起こりやすくなります。

法律家として、そのような問題と接するたびに「これは法律がおかしい、改正する必要があるのではないか?」「この問題に特化した新しい法律が必要なのではないか?」と疑問に思ってきました。法律とは一度つくったらそれでおしまいではなく、アップデートさせていかなければならないものだからです。

法律をつくるのは立法者である政治家の方々の仕事ですが、現実問題、票になりにくいマイノリティの方の問題や、社会から偏見を持たれている問題にはなかなか取り組んではくれません。**政治が積極的に取り組まないような分野こそ、司法が取り組まなければいけません。大麻の問題もまさしくこれにあてはまると私は考えています。**

司法にできること

海外では大麻に関する研究が進み、さまざまな医療的な効果・効用が明らかになっています。医療目的の使用だけでなく、嗜好目的での使用ができる地域も増えています。それらを見て「大麻は本当に有害で危険なのか？」と疑問を持つ人は日本でも増えているはずです。大麻取扱免許を取得したうえで、農作物としての大麻を栽培・販売している農家さんもいらっしゃいますが、彼らもさまざまな制限をされ、マスコミの大麻バッシングによる風評被害を受けたりもしています。大麻取締法があることによって、研究者は研究の自由、病気の人は大麻を使った治療を受ける自由、農家さんは職業の自由を脅かされ、さまざまなところに悪影響を及ぼしています。大麻取締法は見直す時期に来ていると思います。

正直、大半の弁護士は大麻取締法がある限り、現在のような状況も「仕方がない」と思っていると感じます。さらに踏み込んで、法律自体がおかしいとか、見直す必要があると考える弁護士はわずかかもしれません。実際、いまの法律がある以上は大麻所持の刑事事件で無罪を勝ち取ることは難しいでしょう。しかし、私の周りでは逮捕者を過剰にバッシングするような報道や、SNSで大麻についての投稿をしただけで麻薬特例法によって逮捕され、実名報道されるといった事例に疑問を持っている人たちもいます。

このような状況で司法にできることは、立法府や社会に対して「法改正が必要だ」というメッセージになるようなインパクトのある判決を引き出すことです。メディアや世論を巻き込むことで、そのメッセージをより大きくし、広く伝えることもできます。ただ、単純所持のような事件では難しいでしょう。医療目的で、生きるために大麻を使用せざるを得なかったような事例でなければ、司法も正面から向き合ってはくれないと思います。

戦略的なアプローチを

裁判所は世論の影響を受けずに、民主主義では守られないような人権を守り、法に照らし合わせた正義を追求する場所と思われるでしょうし、実際そうでなくてはならないのですが、個々の裁判官は意外と世論を気にしています。たとえば、かつて性犯罪の無罪判決が4件続いた際、世論の大きな反発が起きました。その反発はその後の判決に影響を与えたと思います。

私自身の体験も同様です。「大崎事件」[※1]という冤罪が疑われる事件では、その裁判費用を募ったクラウドファンディングに1240万円ものお金が集まりました。これは、裁判費用目的のクラウドファンディング史上で最高額だったのですが、裁判所が「そのお金でどのような立証を考えているのか?」と尋ねてきたこともありました。裁判所は、皆さんの想像以上に世の中の動きに目を配っているのです。

司法の場で大麻というテーマに取り組む際も、世論の関心や共感を集めるアプローチは絶対に必要です。クラウドファンディングを用いて支援金を集めることも可能でしょう。

ただ、私は現在の日本でいきなり「嗜好用も医療用も含めたすべての大麻を合法化し、解禁せよ」とは考えていません。多くの人が「ダメ。ゼッタイ。」と思っているなかで、かえって対立を生み、フラットに議論ができなくなる状況を避けるためです。**まずはしっかりと議論がされることが最優先です。**

何かを世に訴えるアプローチの方法は、よく考えなければなりません。医療目的であれ

[※1] 1979年10月15日に鹿児島県大崎町で遺体が発見され、被害者の長兄とその妻、次兄と甥が殺人と死体遺棄容疑でそれぞれ逮捕され、有罪確定。死亡原因は転落で殺人罪は冤罪であるとの主張があり、再審請求が続けられている。

ば、医師管理の下での使用などの条件がつけば、理解が得られやすいかもしれません。嗜好用のマリファナと産業用のヘンプが混同されて規制されているのも問題ですので、その辺りの法整備からはじめていくのも可能性の一つでしょう。大麻が危険だと思い込んでいる人たちとコミュニケーションするためにも、どういうスタンスで、どのように伝えればいいのかを戦略的に考えていかなければいけないと思います。

今後、日本の大麻問題がどうなっていくかは、正直なところわかりません。茨の道になるかもしれませんが、私自身はこれからも声を上げ続けようと思っています。法律家として、司法の場で、ニュートラルな視点からこのテーマに取り組んでいきたいです。[※2]

２０２０年９月

[※2] 2021年1月、厚生労働省は大麻取締法への「使用罪」導入について検討すると発表。これに対し、大麻等の薬物取り締まり強化と「大麻使用罪」創設に反対する署名運動が起こる。亀石弁護士は同運動の発起人の一人。

〈特別寄稿⑤〉

日本における
カンナビノイドの可能性

新垣実さん

[日本臨床カンナビノイド学会 理事長]

1959年、沖縄県那覇市生まれ。1984年、長崎大学医学部卒業。長崎大学医学部形成外科入局を経て、1994年に医学博士取得。中部徳州会病院形成外科部長を経て、1998年にスキンクリニック新垣開設。(医)新美会 新垣形成外科理事長、日本臨床カンナビノイド学会理事長。

「カンナビノイド」とは、大麻に含まれる化学物質の総称です。近年、世界中で医療的な価値が注目されていますが、日本国内の医療利用は制限が多くかかっています。

日本における医療大麻の現状と問題点について、日本臨床カンナビノイド学会の理事長である新垣実さんにお話をお聞きしました。

カンナビノイドとの出会い

私の専門は形成外科で、長崎大学を卒業してから20年、大学関連病院で修業を積みました。1996年に自身で開業し美容外科も行うようになりました。そこでアンチエイジングなどについて学び、ビタミンやミネラルなど、サプリメントの勉強もはじめました。アメリカからの最新情報を集めていた当時、「痛みがすごく取れる」というサプリメントが紹介されていました。それがCBD［※1］であり、カンナビノイドとの出会いだったのです。

CBDをはじめ、カンナビノイドには最初、「怖い、危ない」というイメージがあり、抵抗感を持っていました。しかし、地元沖縄の普天間神宮の神主さんにお話を聞き、大麻は日本にもゆかりが深い植物で、神社でもお清めの目的として大麻が使われていることなどを教えてもらい、少しずつ考えが変わっていきました。さらに勉強していくと、戦前には『日本薬局方』［※2］にも収載され、薬としても使われていたこともわかりました。戦後にGHQの政策により廃止・禁止されたために自分自身が「怖い、危ない」という偏ったイメージを持っていたことも知ることができました。

なぜカンナビノイドが効くのか？

まず、人間の体内では、もともと大麻草に含まれる物質に近い成分が作用しています。

それは、「内因性カンナビノイド」と呼ばれ、人間は自身でこの成分をつくって働かせるこ

［※1］Cannabidiol（カンナビジオール）の略で、カンナビノイドの一つ。免疫調整や感情抑制、神経保護の効果があるといわれている。
［※2］厚生労働省によって1886年6月に公布され、今日に至るまで医薬品の開発、試験技術の向上に伴って改訂が重ねられている医薬品の規格基準書。

とができます。このシステムを「エンド・カンナビノイド・システム」といい、システムがうまく働いていると、人間は病気にもなりにくく快適に生活でき、それが欠乏すると、痛みや疾患、自己免疫疾患などのさまざまな病気を引き起こすといわれています。[※3]

この内因性カンナビノイドを活性化するには、ヨガや運動なども効果的ですが、CBDオイルを摂取するという方法もあります。CBDオイルの摂取が、疾患の治療目的だけでなく日々の健康増進にも役立つのはこのためなのです。

また、大麻を薬として捉えるなら、「アントラージュ効果」も欠かせません。これは、CBDやTHC、テルペンなど大麻草のさまざまな成分がハーモニーのように重なって、効果を存分に発揮するというものです。CBDなどの有効成分を単一で取り出すだけでは効果が不十分で、そういう意味では「多成分である漢方薬のような薬に近い」という方がイメージしやすいかと思います。一言で「カンナビノイド」といっても、いろいろな目的や捉え方があるのです。

[※3] 2021年4月時点では、あくまで仮説。

学会設立のきっかけ

薬としてのカンナビノイドの有効性を実感したエピソードがあります。私の実母が膀胱がんになったのですが、抗がん剤の副作用で急性呼吸窮迫症候群（ＡＲＤＳ）という急性の肺炎を起こしました。在宅酸素療法を行っていたのですが、そのときにインフルエンザにかかってしまったのです。抗生物質とステロイド剤を両方使いたいのですが、それではどちらの効果も打ち消してしまうため、同時には使えないという絶望的な状況になってしまったのです。

そのときに自分で文献を調べて抗炎症作用・抗酸化力がある「ＣＢＤオイル」を代替手段として朝晩摂取させることにしました。結果、母は見事に回復することができました。このように、実際に病気の人に役に立つ使い方もできるのです。難治性のてんかんにも効果があることがわかっていて、アメリカではすでに薬事承認されているものもあります。

こんなに素晴らしいカンナビノイドを「怖い、危ない」と法律で制限するのはおかしいと思い、自分でもなにかできないかと考え、日本臨床カンナビノイド学会を設立するに至りました。研究する母体がなくては法改正への嘆願も、有効性を社会へ訴えることもできません。幸い昭和大学薬学部の佐藤均教授も協力してくださることになり、2015年にスタートして、現在では200名を超える会員が在籍し、年に2回の学術大会を開催しています。

現在の国内での動きと今後の展望

日本国内では大麻由来のCBDを主成分とする抗てんかん薬「エピディオレックス」製剤などの治験（臨床試験）に関する大きな動きがありました。参議院の秋野公造議員の答弁により、厚生労働省から「治験を行うことは可能」との回答を引き出したのです。

聖マリアンヌ医科大が寄付口座をつくり、難治性てんかんの患者の方々を集めて臨床試験を進める予定になっていますが、2020年10月現在、厚生労働省に研究班が立ち上がり、準備を進めている段階です。

まずは、この治験を成功させることが大切です。他のどの薬でも救えなかったてんかん患者の方々をカンナビノイドで救えたとなれば、世の中にその有効性を大きく訴えることができます。足かせになっているのはやはり法律ですから、その研究結果に基づいて、カンナビノイドの有効利用ができるよう法改正を訴えていきたいです。日本臨床カンナビノイド学会でもバックアップしていきます。治験の様子を論文化して、国際学会で発表することも考えています。もしも法改正がなされれば、カンナビノイドに関心を持つ医師や医療関係者も増えるでしょう。

また、未来の話ではありますが、法改正がなされれば、日本国内で産業用大麻をはじめとする「麻」の生産も各地で自由に行われ、ＣＢＤオイルなどを各地域でもつくって、地域振興などに役立てることができるのではないかと考えています。病気で困っている方のためにもなりますし、地域の活性化にもつながるはずです。日本は農業も得意ですし、なによりも戦前は大麻農家さんがたくさんいらっしゃったのですから。

２０２０年10月

〈特別寄稿⑥〉

解放と統治
――大麻の二面性と向き合う

宮台真司さん［社会学者］

1959年宮城県生まれ。社会学者。映画批評家。東京都立大学教授。東京大学大学院（旧）社会学研究科博士課程修了。社会学博士。『14歳からの社会学』（筑摩書房）、『日本の難点』（幻冬舎）、『崩壊を加速させよ』（blueprint）など著書多数。

大麻について、いまだに日本国内では「ダメ。ゼッタイ。」の印象が根強く、まともな議論すらされない状況にあります。今後、わたしたちは大麻をどのように捉え、それと向き合っていくべきなのでしょうか。ラジオなどで大麻に関して積極的に発言されてきた社会学者・宮台真司さんにお話をお聞きしました。

大麻は「法が禁止しているだけ」

大麻は「法が禁止しているだけ」で、有害性の問題とは関係ありません。ＷＨＯが有害性はないと認めたこともあり、日本も恥を晒さないようにＣＢＤは解禁しています。僕もユーザーで、ヴェポライザーで吸引します。都会にはすでにCBDカフェもあります。

他方、厚労省は「THCは有害」との認識を変えません。省庁がこの数年の各国の非犯罪化や、新たに収集された医学データや社会的影響のデータを無視するのは、国際的に「恥ずかしい」事態です。だから僕は「この恥が東京オリンピックで晒されればいい」と思っています。医療用THCを使うアスリートが世界には少なくないからです。

最新の研究では、THCの依存性はニコチン、カフェイン、アルコールよりも下。だから一挙に非犯罪化の流れになりました。有害性を問題にするなら、煙草やコーヒーや酒も禁止しないと整合しません。各国でされてきたそうした議論が、日本ではまだありません。

解放のための大麻、統治のための大麻

大麻には「解放」としての意味があります。60年代の後半からロックを含めたユースカルチャーの展開に伴って大麻やドラッグが「解放的な関心」の象徴になります。“Another way of life（違った生き方へ）”がスローガンになり、近代のシステムの奴隷にならず、心身の働きを変えて自分を解放するべきだという考えが、若い世代に広がりました。

アメリカ社会では、大麻への心理的な抵抗が少なく、刑罰も軽かったので、60年代後半以降に大学教員をやっていたようなインテリ層は、ほぼ全員が大麻を経験していたと言っても過言ではありません。これが「解放のための大麻」です。

他方、大麻は「統治」にも関わります。第一に、生活の質を上げる医療や、変性意識を呼び込む娯楽に使えるので、「個人の幸福に役立つのではないか」との関心が生まれました。第二に、大麻のディーラーを入り口にしたハードドラッグの入手を抑止するための合法化が議論されました。第三に、税源にしようという議論が生まれました。第四に、大麻市場が大規模な投資を可能にするとの議論が生まれました。

幸福・犯罪・税収・経済など社会のあらゆる側面に大麻を役立てられるのなら、統治に使えることを意味します。これが「統治のための大麻」です。それに関連して言えば、**日本政府が頑なにTHCを拒む背後に、THC解禁が社会の価値観を変えることへの恐れがある、というのが僕の見立てです。**昔から飲まれてきた酒と、新たに非犯罪化されたTHCは、確かにその恐れの有無が違います。とすれば、恐れを公然と言明し、大麻で価値観の変化が生じるのか否か、その変化が悪しきものなのか否かを、議論すべきです。

大麻が浮かび上がらせる日本の問題点

日本で本質的な議論が進まないのは、総じて、日本人の〝没人格化＝クズ化〟に起因します。日本人は一般に個人としての性能が低く、自分の頭でものを考えようとしません。権力に媚びるヒラメと、周囲を見て浮かないようにするキョロメだらけです。

このミクロな欠点が、マクロなデタラメに帰結します。具体的には、先進国で日本だけ産業構造を改革できず、成長率は先進国で最低で、昨年には韓国にも平均賃金を抜かれたという「経済的落ち目」が一例です。

かつて、この劣等性は隠されていました。みんなが同じ方向に頑張ればいい経済成長の時代だったこと、地域や会社の共同体に埋め込まれていて不安がなかったことが要因です。ところが、1980年代からの地域の空洞化を背景に、人を頼るかわりに市場と行政だけを頼るシステム化が進み、人々が分断されて孤立し、共通前提が失われました。その結果、在宅死者の4人に1人が孤独死なのも含めて、人々が不安化しました。それが現在です。

不安を埋め合わせるために「中国人」「朝鮮人」といったカテゴリーに反応して激昂する

〝言葉の自動機械〟が増え、自分に関係ないのに違法な振る舞いに激昂する〝法の奴隷〟も増え、所属集団でのポジション取りにだけ勤しむ〝損得マシン〟も増えました。それがコロナ差別やコロナイジメの背景にもあります。

個人としての性能が低いところに、それを覆い隠してくれたいくつかの条件が消えた結果、「日本人の劣等性」が「日本の劣等性」として露わになっています。だから、以前にも増して合理性にしたがって制度を変えられなくなりました。先進国でも日本だけが合理的な大麻政策が採れないのは、この劣等性が理由です。日本の政治が動くのは、制度のあり方が国際的に嘲笑されて恥を晒したときだけです。だから日本の政策の愚昧さをSNSなどで海外に晒し、オリンピックを機会に海外のマスコミに扱ってもらうしかないでしょう。

日本社会の特徴をどう生かすか

僕は3年前にTBSラジオの番組「デイキャッチ」で海外大麻事情をベースに大麻を解禁すべき理由を話しました。番組で突然大麻の話をして、ディレクターが慌てました。大手マスメディアで大々的に大麻合法化論を展開したのは、僕が初めてだったからです。日本では「誰かが初めに空気を壊すこと」で物事が一気に進展します。それを狙ったのです。その結果、いまでは雑誌や書籍、WEBメディアなどで大麻が話題になる機会が増えました。

かつてマルセル・モース[※1]やラフカディオ・ハーン[※2]が述べたとおり、明治の日本には、近代化のなかでも古い社会のあり方が残っていました。その典型が祭りの「無礼講」です。祭りは、踊りや歌を通して〝眩暈〟を提供することで、定住以前＝法以前の身心を取り戻します。定住農耕をはじめると、集団作業や栽培計画のために法への〝閉ざされ〟が必要になりますが、元々のあり方から隔たっているので、祭りを通じて〝法外のシンクロ〟を回復しました。だから祭りでは、既婚者の乱交があったのです。

文明＝大規模定住社会では、複雑性ゆえに、言葉と法と損得への〝閉ざされ〟が必要です。この〝閉ざされ〟が社会です。ただ、かつては二つの方法で〝閉ざされ〟の外に時々出ました。一つは先述した祭り。もう一つは性愛です。社会と性愛は、互いに別の時空です。社会に性愛が露呈すれば猥褻《わいせつ》感を引き起こし、性愛に社会が露呈すれば性愛能力の低さを感じさせます。

[※1] フランスの社会学者、文化人類学者。「原始的な民族」とされる人々の宗教社会学、知識社会学の研究を行った。
[※2] 日本人名は小泉八雲。ギリシャ生まれの新聞記者・紀行文作家・随筆家・小説家・日本研究家・日本民俗学者。

こうした無礼講的な祭りも戦後10年経つと失われ、90年代後半からは性愛の退却が生じました。僕は、外を消去した社会を〝クソ社会〟と呼び、言葉と法と損得への〝閉ざされ〟の外に出られない人間を〝クズ〟と呼びます。いまの若い世代はこうした〝閉ざされ〟に気づきません。祭りや性愛による〝開かれ〟の記憶がないからです。だから不全感を抱えるのは当たり前です。人間はゲノム的に、言葉と法と損得への〝閉ざされ〟に耐えられないのです。だから多くの人が「生きづらい」と感じています。

まとめると、大麻を考える際には〝閉ざされ〟からの解放という〝実存の視座〟が大切です。ただし前述のように、個人の幸福を広汎に提供することは、鬱や自殺や犯罪の抑止の観点ゆえに〝社会の視座〟にとっても大切です。だから今日では、個人の「解放」と社会の「統治」は切り離せません。社会が〝閉ざされ〟を貫徹させた以上、個人が〝閉ざされ〟のなかに人為的に〝開かれ〟を用意するしかないのです。

今後の展望

僕はこれからも大麻について発信します。日本は、人と社会の劣等性ゆえに、ＩＴ、バイオ、再生エネルギー、電気自動車、コロナ対策など、何事につけて、すべて周回遅れです。大麻解禁だけがスムーズに行われることはありません。世界で恥晒しになるので、遅かれ早かれ医療用大麻は解禁されるでしょうが、「大麻を厚生労働省がどのように厳格に管理するか」という省庁権益問題にピントがずれることも従来どおり確実です。

お話ししてきたように、大麻は、実存的な「解放」の視座と、社会的な「統治」の視座の、双方から考える必要があります。「再配分や制度改革をしなくても、大麻でハッピーになってくれたら統治コストが安上がり」という具合に、諸外国では「統治」が「解放」の視座を組み込んでいます。だから「大麻で『解放』されたら万々歳」という単純さは許されません。「解放」の視点を忘れず、しかし「統治」に絡めとられないことが大切です。

２０２０年12月

おわりに

本書では、日本の大麻についてさまざまな視点から語ってきました。つくづく大麻という存在は数奇な物語をたどってきたと思います。日本に限らず、時代や地域、権力によって「有用な資源」として栽培が奨励されたり、「違法な薬物」として禁止されたりと、多くの紆余曲折を経て、現在に至っています。

こうした経緯を念頭に置きながら、近年のグリーンラッシュに関する報道などを見ていると「時代が変わった」という強い感銘を受けます。数奇な物語を経た植物が再び注目を集め、国境を越えた一大産業となり、新たな雇用や莫大な税収を生み出し、人々の生活の一部となっている様子は、「温故知新」という言葉を想起させます。

本書内でもたびたび述べてきたとおり、日本人の営みを支え続けてきた「大麻という農作物」は現在、非常に深刻な局面にあります。他国に類を見ないほど、独特で密接な大麻との関わりを持ち、「米と大麻をつくってきた民族」である日本人にとって、これは一大事のはずなのですが、危機感はなかなか共有できていません。

日本社会は海外のグリーンラッシュを追い風とし、「故《ふる》きを温めて、新しきを知る」ことで、変わることができるでしょうか？　次の世代にこの農作物をつないでいくための時間は、あまり残されてはいません。しかし、私たちはできる限りのことを続けていくつもりです。

大麻は「古くて、新しい農作物」です。現在の日本における、大麻を取り囲む状況はとても残念ですが、世界の動きは止まりません。近い将来、日本社会も大麻について、より真摯に議論せざるを得なくなるでしょう。その際、長きに渡って日本人の営みを支え続けてきた「大麻という農作物」についても、フラットに議論されることを願います。そして、この農作物が今後も存続していくことを願ってやみません。

最後に、出版の声をかけていただいたイースト・プレスの矢作さん、ご多忙にもかかわらずご寄稿いただいたみなさん、取材に多大な協力をしていただいた白石さんをはじめ、麻福さん、北海道ヘンプ協会さん、伊勢麻振興協会さん、日本古来の大麻を継承する会のみなさん、栃木県立博物館の篠崎さん、オルタード・ディメンション研究会の麻生さんらには、大変お世話になりました。またＳＮＳを含め、さまざまな形でやりとりさせていただいた方々にも大きな示唆をいただきました。ありがとうございます。そして、この一見変わったタイトルの本を手にとってくださったあなたにも、大きな感謝を伝えたいと思います。

２０２１年４月　大麻博物館

〈付録①〉大麻取締法全文

第一章　総則

第一条　この法律で「大麻」とは、大麻草（カンナビス・サティバ・エル）及びその製品をいう。ただし、大麻草の成熟した茎及びその製品（樹脂を除く。）並びに大麻草の種子及びその製品を除く。

（昭二八法一五・平三法九三・一部改正）

第二条　この法律で「大麻取扱者」とは、大麻栽培者及び大麻研究者をいう。

2　この法律で「大麻栽培者」とは、都道府県知事の免許を受けて、繊維若しくは種子を採取する目的で、大麻草を栽培する者をいう。

3　この法律で「大麻研究者」とは、都道府県知事の免許を受けて、大麻を研究する目的で大麻草を栽培し、又は大麻を使用する者をいう。

（昭二八法一五・一部改正）

第三条　大麻取扱者でなければ大麻を所持し、栽培し、譲り受け、譲り渡し、又は研究のため使用してはならない。

2　この法律の規定により大麻を所持することができる者は、大麻をその所持する目的以外の目的に使用してはならない。

第四条　何人も次に掲げる行為をしてはならない。

一　大麻を輸入し、又は輸出すること（大麻研究者が、厚生労働大臣の許可を受けて、大麻を輸入し、又は輸出する場合を除く。）。

二　大麻から製造された医薬品を施用し、又は施用のため交付すること。

三　大麻から製造された医薬品の施用を受けること。

四　医事若しくは薬事又は自然科学に関する記事を掲載する医薬関係者等（医薬関係者又は自然科学に関する研究に従事する者をいう。以下この号において同じ。）向けの新聞又は雑誌により行う場合その他主として医薬関係者等を対象として行う場合のほか、大麻に関する広告を行うこと。

2　前項第一号の規定による大麻の輸入又は輸出の許可を受けようとする大麻研究者は、厚生労働省令で定めるところにより、その研究に従事する施設の所在地の都道府県知事を経由して厚生労働大臣に申請書を提出しなければならない。

（昭二八法一五・昭三八法一〇八・平二法三三・平一一法八七・平一一法一六〇・一部改正）

第二章　免許

第五条　大麻取扱者になろうとする者は、厚生労働省令の定めるところにより、都道府県知事の免許を受けなければならない。

2　次の各号のいずれかに該当する者には、大麻取扱者免許を与えない。

一　麻薬、大麻又はあへんの中毒者

二　禁錮以上の刑に処せられた者

三　未成年者

四　心身の故障により大麻取扱者の業務を適正に行うことができない

者として厚生労働省令で定めるもの
（昭二八法一五・昭二九法七一・平一一法一五一・平一一法一六〇・令元法三七・一部改正）

第六条　都道府県に大麻取扱者名簿を備え、大麻取扱者免許に関する事項を登録する。
2　前項の規定により登録すべき事項は、厚生労働省令でこれを定める。
（昭二八法一五・平一一法一六〇・一部改正）

第七条　都道府県知事は、大麻取扱者免許を与えるときは、大麻取扱者名簿に登録し、大麻取扱者免許証を交付する。
2　前項の免許証は、これを譲り渡し、又は貸与してはならない。
（昭二八法一五・一部改正）

第八条　大麻取扱者免許の有効期間は、免許の日からその年の十二月三十一日までとする。

第九条　削除
（平一一法八七）

第十条　大麻取扱者は、免許の取消を受けようとするときは、厚生労働省令の定めるところにより、都道府県知事に申請しなければならない。
2　大麻取扱者が死亡又は解散したときは、相続人（相続人のあることが明らかでないときは、相続財産の管理人。以下同じ。）又は清算人は、厚生労働省令の定めるところにより、その旨を都道府県知事に届け出なければならない。
3　都道府県知事は、第一項の申請又は前項の届出があつたときは、大麻取扱者名簿の登録をまつ消する。
4　大麻取扱者は、大麻取扱者免許が第十八条の規定により取り消され、その他その効力を失つたときは、大麻取扱者免許証を都道府県知事に返納しなければならない。
5　大麻取扱者は、大麻取扱者名簿の登録事項に変更を生じたときは、十五日以内に、都道府県知事に届け出なければならない。
6　大麻取扱者は、免許証をき損し、又は亡失したときは、十五日以内に、その事由を記載し、且つ、き損した場合にはその免許証を添えて、都道府県知事に免許証の再交付を申請しなければならない。
7　大麻取扱者は、前項の規定により免許証の再交付を受けた後、亡失した免許証を発見したときは、十五日以内に、都道府県知事にその免許証を返納しなければならない。
（昭二八法一五・平一一法一六〇・一部改正）

第十一条　削除
（平一一法八七）

第三章　大麻取扱者

第十二条　削除
（昭二八法一五）

第十三条　大麻栽培者は、大麻を大麻取扱者以外の者に譲り渡してはならない。

第十四条　大麻栽培者は、大麻をその栽培地外へ持ち出してはならない。但し、都道府県知事の許可を受けたときは、この限りでない。

（昭二八法一五・一部改正）

第十五条　大麻栽培者は、毎年の一月三十日までに、左に掲げる事項を都道府県知事に報告しなければならない。

一　前年中の大麻草の作付面積

二　前年中に採取した大麻草の繊維の数量

（昭二七法一五二・全改、昭二八法一五・一部改正）

第十六条　大麻研究者は、大麻を他人に譲り渡してはならない。ただし、厚生労働大臣の許可を受けて、他の大麻研究者に譲り渡す場合は、この限りでない。

2　前項ただし書の規定による大麻の譲渡しの許可を受けようとする大麻研究者は、厚生労働省令で定めるところにより、その研究に従事する施設の所在地の都道府県知事を経由して厚生労働大臣に申請書を提出しなければならない。

（平二法三三・平一一法八七・平一一法一六〇・一部改正）

第十六条の二　大麻研究者は、その研究に従事する施設に帳簿を備え、これに次に掲げる事項を記載しなければならない。

一　採取し、譲り受け、又は廃棄した大麻の品名及び数量並びにその年月日

二　研究のため使用し、又は研究の結果生じた大麻の品名及び数量並びにその年月日

2　大麻研究者は、前項の帳簿を、最終の記載の日から二年間、保存しなければならない。

（平二法三三・追加）

第十七条　大麻研究者は、毎年一月三十日までに、左に掲げる事項を都道府県知事に報告しなければならない。

一　前年の初めに所持した大麻の品名及び数量

二　前年中の大麻草の作付面積

三　前年中に採取し、又は譲り受けた大麻の品名及び数量

四　前年中に研究のため使用した大麻の品名及び数量並びに研究の結果生じた大麻の品名及び数量

五　前年の末に所持した大麻の品名及び数量

（昭二七法一五二・全改、昭二八法一五・一部改正）

第四章　監督

第十八条　大麻取扱者がその業務に関し犯罪又は不正の行為をしたときは、都道府県知事は大麻取扱者免許を取り消すことができる。

（昭二八法一五・一部改正）

第十九条　削除

（昭二八法一五）

第二十条　厚生労働大臣は、法令の規定により国庫に帰属した大麻について必要な処分をすることができる。

（昭二八法一五・全改、昭四五法一一一・平一一法一六〇・一部改正）

第二十一条　厚生労働大臣又は都道府県知事は、大麻の取締りのため特に必要があるときは、大麻取扱者その他の関係者から必要な報告を求め、又は麻薬取締官若しくは麻薬取締員その他の職員に、栽培地、倉庫、研究室その他大麻に関係ある場所に立ち入り、業務の状況若しくは帳簿書類その他の物件を検査させ、若しくは試験のため必要な最小分量に限り大麻を無償で収去させることができる。

2　麻薬取締官又は麻薬取締員その他の職員が前項の規定により立入検査又は収去をする場合には、その身分を証明する証票を携帯し、関係人の請求があるときは、これを提示しなければならない。

3　第一項に規定する権限は、犯罪捜査のために認められたものと解してはならない。

（昭二五法一八・昭二八法一五・平三法九三・平一一法一六〇・一部改正）

第五章　雑則

第二十二条　都道府県は、この法律に基き都道府県知事が行う免許その他大麻取締に要する費用を支弁しなければならない。

（昭二八法一五・全改）

第二十二条の二　この法律に規定する免許又は許可には、条件を付し、及びこれを変更することができる。

2　前項の条件は、大麻の濫用による保健衛生上の危害の発生を防止するため必要な最小限度のものに限り、かつ、免許又は許可を受ける者に対し不当な義務を課することとならないものでなければならない。

（平二法三三・追加）

第二十二条の三　厚生労働大臣は、この法律の規定にかかわらず、大麻に関する犯罪鑑識の用に供する大麻を輸入し、又は譲り受けることができる。

2　厚生労働大臣は、前項の規定により輸入し、又は譲り受けた大麻を、大麻に関する犯罪鑑識を行う国又は都道府県の機関に交付するものとする。

3　前項の機関に勤務する職員は、当該機関が同項の規定により厚生労働大臣から交付を受けた大麻を、大麻に関する犯罪鑑識のため、使用し、又は所持することができる。

4　第二項の規定により厚生労働大臣から大麻の交付を受けた機関の長は、帳簿を備え、これに、大麻に関する犯罪鑑識のため使用した大麻の品名及び数量並びにその年月日その他厚生労働省令で定める事項を記載しなければならない。

5　厚生労働大臣は、外国政府から大麻に関する犯罪鑑識の用に供する大麻を輸入したい旨の要請があつたときは、この法律の規定にかかわらず、第一項の規定により輸入し、若しくは譲り受けた大麻又は法令の規定により国庫に帰属した大麻を、当該外国政府に輸出することができる。

（平二法三三・追加、平一一法一六〇・一部改正）

第二十二条の四　第四条第二項、第十四条、第十六条第二項及び第二十一条第一項の規定により都道府県が処理することとされている事務は、地方自治法（昭和二十二年法律第六十七号）第二条第九項第一号に規定する第一号法定受託事務とする。
（平一一法八七・追加）

第二十二条の五　この法律に規定する厚生労働大臣の権限は、厚生労働省令で定めるところにより、地方厚生局長に委任することができる。
2　前項の規定により地方厚生局長に委任された権限は、厚生労働省令で定めるところにより、地方厚生支局長又は地方麻薬取締支所の長に委任することができる。
（平一一法一六〇・追加）

第二十三条　この法律に定めるものを除き、この法律を施行するため必要な事項は、厚生労働省令でこれを定める。
（平一一法一六〇・一部改正）

第六章　罰則

第二十四条　大麻を、みだりに、栽培し、本邦若しくは外国に輸入し、又は本邦若しくは外国から輸出した者は、七年以下の懲役に処する。
2　営利の目的で前項の罪を犯した者は、十年以下の懲役に処し、又は情状により十年以下の懲役及び三百万円以下の罰金に処する。
3　前二項の未遂罪は、罰する。
（昭三八法一〇八・全改、平二法三三・平三法九三・一部改正）

第二十四条の二　大麻を、みだりに、所持し、譲り受け、又は譲り渡した者は、五年以下の懲役に処する。
2　営利の目的で前項の罪を犯した者は、七年以下の懲役に処し、又は情状により七年以下の懲役及び二百万円以下の罰金に処する。
3　前二項の未遂罪は、罰する。
（昭三八法一〇八・追加、平二法三三・平三法九三・一部改正）

第二十四条の三　次の各号の一に該当する者は、五年以下の懲役に処する。
一　第三条第一項又は第二項の規定に違反して、大麻を使用した者
二　第四条第一項の規定に違反して、大麻から製造された医薬品を施用し、若しくは交付し、又はその施用を受けた者
三　第十四条の規定に違反した者
2　営利の目的で前項の違反行為をした者は、七年以下の懲役に処し、又は情状により七年以下の懲役及び二百万円以下の罰金に処する。
3　前二項の未遂罪は、罰する。
（平三法九三・追加、平一一法八七・一部改正）

第二十四条の四　第二十四条第一項又は第二項の罪を犯す目的でその予備をした者は、三年以下の懲役に処する。
（平二法三三・追加、平三法九三・旧第二十四条の三繰下）

第二十四条の五　第二十四条から前条までの罪に係る大麻で、犯人が所有し、又は所持するものは、没収する。ただし、犯人以外の所有に係るときは、没収しないことができる。
2　前項に規定する罪（第二十四条の三の罪を除く。）の実行に関し、大麻の運搬の用に供した艦船、航空機又は車両は、没収することができる。
（平二法三三・追加、平三法九三・旧第二十四条の四繰下・一部改正）

第二十四条の六　情を知って、第二十四条第一項又は第二項の罪に当たる行為に要する資金、土地、建物、艦船、航空機、車両、設備、機械、器具又は原材料（大麻草の種子を含む。）を提供し、又は運搬した者は、三年以下の懲役に処する。
（平二法三三・追加、平三法九三・旧第二十四条の五繰下・一部改正）

第二十四条の七　第二十四条の二の罪に当たる大麻の譲渡しと譲受けとの周旋をした者は、二年以下の懲役に処する。
（平二法三三・追加、平三法九三・旧第二十四条の六繰下・一部改正）

第二十四条の八　第二十四条、第二十四条の二、第二十四条の四、第二十四条の六及び前条の罪は、刑法第二条の例に従う。
（平三法九三・追加）

第二十五条　次の各号の一に該当する者は、一年以下の懲役又は二十万円以下の罰金に処する。
一　第四条第一項の規定に違反して、大麻に関する広告をした者
二　第七条第二項の規定に違反した者
三　第十五条又は第十七条の規定による報告をせず、若しくは虚偽の報告をした者
2　前項の刑は、情状によりこれを併科することができる。
（昭二七法一五二・昭二八法一五・昭三八法一〇八・平二法三三・平三法九三・平一一法八七・一部改正）

第二十六条　次の各号の一に該当する者は、十万円以下の罰金に処する。
一　第十条第二項の規定による届出をしなかつた者
二　第十条第四項又は第七項の規定に違反した者
三　第十六条の二第一項の規定に違反して、帳簿を備えず、又は帳簿に記載せず、若しくは虚偽の記載をした者
四　第十六条の二第二項の規定に違反して、帳簿の保存をしなかつた者
五　第二十一条第一項の規定による立入り、検査又は収去を拒み、妨げ、又は忌避した者
（昭二八法一五・昭三八法一〇八・平二法三三・平三法九三・一部改正）

第二十七条　法人の代表者又は法人若しくは人の代理人その他の従業者が、その法人又は人の業務に関して第二十四条第二項若しくは第三項若しくは第二十四条の二第二項若しくは第三項の罪を犯し、又は第二十四条の三第二項若しくは第三項若しくは前二条の違反行為をしたときは、行為者を罰するほか、その法人又は人に対しても各本条の罰金刑を科する。
（昭三八法一〇八・平二法三三・平三法九三・一部改正）

附　則　抄

第二十八条　この法律は、公布の日から、これを施行する。

第二十九条　昭和二十年勅令第五百四十二号ポツダム宣言の受諾に伴い発する命令に関する件に基く大麻取締規則（昭和二十二年／厚生／農林／省令第一号）は、これを廃止する。

附　則　（昭和二五年三月二七日法律第一八号）　抄

（以下、省略）

大麻取締法施行規則

（昭和二十三年七月二十二日）
（／厚生／農林／省令第一号）

大麻取締法施行規則を次のように定める。

大麻取締法施行規則

第一条　大麻取締法（以下「法」という。）第四条第一項第一号に規定する大麻の輸入又は輸出の許可を受けようとする大麻研究者が、同条第二項の規定によつて提出する申請書に記載すべき事項は、次のとおりとし、その様式は、別記第一号様式とする。

一　申請者の氏名及び住所
二　免許証の番号及び免許年月日
三　輸入し、又は輸出しようとする大麻の品名及び数量
四　輸出者又は輸入者の氏名又は住所（法人にあつては、その名称及び主たる事務所所在地）
五　輸入又は輸出の期間
六　輸送の方法
七　輸入港名又は輸出港名

（平二厚農水令二・追加、平一二厚農水令三・一部改正）

第二条　法第五条の規定による大麻取扱者免許を受けようとする者は、次に掲げる事項を記載した申請書を都道府県知事に提出しなければならない。

一　申請者の住所、氏名若しくは名称及び生年月日（法人については生年月日を除く。）
二　栽培地の数、位置及び面積
三　大麻研究者にあつては研究目的

2　前項の申請書には、次に掲げる書類を添付しなければならない。

一　免許を受けようとする者（免許を受けようとする者が法人であるときは、その業務を行う役員とする。）に係る精神の機能の障害又は当該免許を受けようとする者が麻薬、大麻若しくはあへんの中毒者であるかないかに関する医師の診断書
二　大麻研究者にあつては履歴書

（昭二八厚農令一・昭二九厚農令一・一部改正、平二厚農水令二・旧第一条繰下・一部改正、令元厚労農水令六・一部改正）

第二条の二　法第五条第二項第四号の厚生労働省令で定める者は、精神の機能の障害により大麻取扱者の業務を適正に行うに当たつて必要な認知、判断及び意思疎通を適切に行うことができない者とする。

（令元厚労農水令六・追加）

第三条　法第六条の規定による大麻取扱者名簿に登録すべき事項は、左の通りである。

一　登録番号及び登録年月日
二　住所地、氏名若しくは名称及び生年月日（法人については生年月日を除く。）
三　大麻栽培者又は大麻研究者の別
四　栽培地の数、位置及び面積又は研究目的
五　免許証の再交付の事由及び年月日
六　登録のまつ消の事由及び年月日
（昭二九厚農令一・一部改正、平二厚農水令二・旧第二条繰下）

第四条　法第十条第一項に該当する場合においては、大麻取扱者は、免許証を添え、事由を書き申請しなければならない。
2　法第十条第二項に該当する場合においては、同項に規定する者は、免許証を添え一月以内に届け出なければならない。
3　法第十条第二項に規定する者が当該大麻を栽培し又は所持しようとするときは、大麻取扱者免許の申請をしなければならない。
（平二厚農水令二・旧第三条繰下）

第五条　法第十六条第一項に規定する大麻の譲渡しの許可を受けようとする大麻研究者が、同条第二項の規定によつて提出する申請書に記載すべき事項は、次のとおりとし、その様式は、別記第二号様式とする。
一　申請者の氏名及び住所
二　免許証の番号及び免許年月日
三　譲り渡そうとする大麻の品名及び数量
四　譲渡先
五　譲渡しの理由

（平二厚農水令二・追加、平一二厚農水令三・一部改正）

第六条　法第二十一条第一項の規定により麻薬取締官又は麻薬取締員その他の職員が大麻を収去しようとするときは、収去証（別記第三号様式）を交付しなければならない。
（昭二九厚農令一・全改、平二厚農水令二・旧第四条繰下・一部改正、平四厚農水令一・一部改正）

第七条　法第二十一条第二項の規定により、携帯すべき身分を示す証票は、別記第四号様式による。
（昭二九厚農令一・追加、平二厚農水令二・旧第五条繰下・一部改正）

第八条　法第二十二条の三第四項に規定する厚生労働省令で定める事項は、次のとおりとする。
一　交付を受けた大麻の品名及び数量並びにその年月日
二　交付を受けた大麻につき、滅失その他の事故を生じたときは、当該事故に係る大麻の品名及び数量、その年月日その他事故の状況を明らかにするため必要な事項
（平二厚農水令二・追加、平一二厚農水令四・一部改正）

附則

この省令は、公布の日から、これを施行する。
附　則　（昭和二八年四月九日／厚生／農林／省令第一号）

〈付録②〉日本における大麻の栽培面積と栽培者数の推移

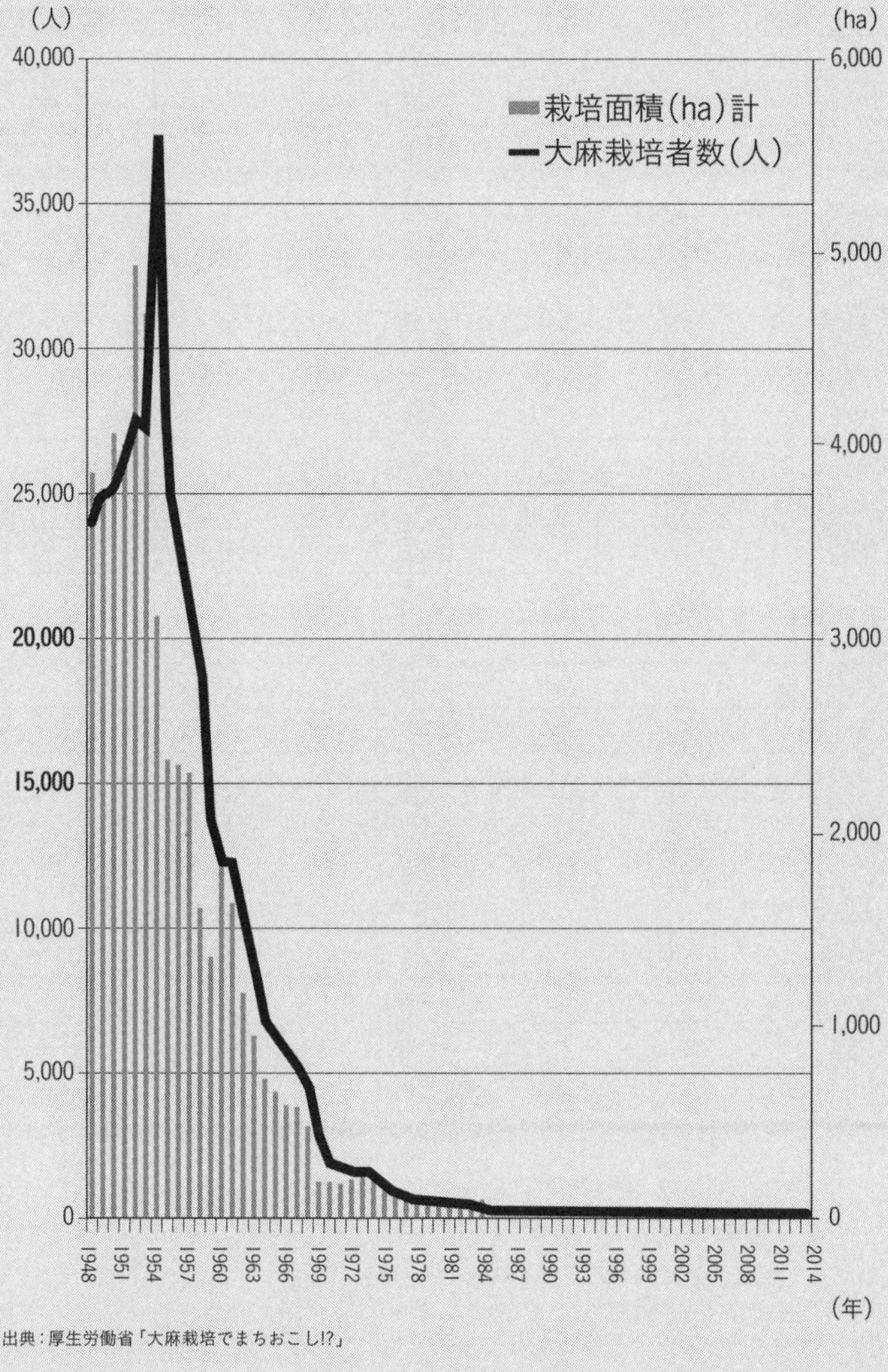

出典:厚生労働省「大麻栽培でまちおこし!?」

〈付録③〉都道府県別の大麻生産の推移（単位：ヘクタール）

	1918年	1939年	1955年	1991年	2018年
北海道	11.4	112.9	–	–	0.073
青森	235.4	321.4	10.2	–	–
岩手	621.1	396.4	150.0	0.06	0.103
宮城	34.2	28.1	1.1	0.03	0.007
秋田	239.2	58.0	–	–	–
山形	39.2	27.6	1.0	–	–
福島	96.7	73.0	19.0	0.08	0.045
茨城	7.4	0.1	–	–	–
栃木	4071.3	4158.2	1618.0	35.47	10.00
群馬	185.3	1324.0	75.0	0.06	0.273
埼玉	0.8	0.6	–	–	–
千葉	7.4	–	–	–	–
東京	0.4	4.2	–	–	–
神奈川	0.5	–	–	–	–
新潟	371.1	321.7	57.9	0.10	–
山梨	18.6	18.9	2.4	–	–
長野	1037.1	1013.3	366.0	0.18	–
静岡	–	–	–	–	–
富山	41.6	13.3	25.0	–	–
石川	197.5	87.7	20.6	–	–
福井	359.9	97.4	26.0	–	–
岐阜	79.3	83.5	30.0	0.31	0.338
愛知	0.5	9.1	–	–	–

	1918年	1939年	1955年	1991年	2018年
三重	0.8	0.1	–	–	0.300
滋賀	61.4	37.2	26.7	0.02	0.079
京都	35.6	8.0	0.8	–	–
大阪	0.2	0	–	–	–
兵庫	168.2	55.1	18.0	–	–
奈良	2.2	22.3	–	0.03	–
和歌山	0.2	1.3	–	–	–
鳥取	87.4	21.2	6.0	0.28	–
島根	624.5	181.0	25.0	0.11	–
岡山	104.1	8.4	8.7	–	–
広島	987.1	688.5	72.0	–	–
山口	41.3	2.6	–	–	–
徳島	0.2	–	–	0.036	–
香川	0.2	0.1	–	–	–
愛媛	27.8	7.5	0.8	0.57	–
高知	28.7	7.1	–	0.08	–
福岡	70.3	7.7	–	–	–
佐賀	63.6	15.9	5.4	0.01	0.020
長崎	69.1	11.4	2.5	0.01	0.003
熊本	881.3	239.1	86.0	–	–
大分	179.0	46.1	19.0	0.005	0.020
宮崎	683.4	225.2	26.8	–	–
鹿児島	289.8	16.6	–	–	–
沖縄	–	–	–	–	–
合計	11820.5	8560.2	2701.7	37.47	11.262

【出典】
・1918年：栃木県農事試験場『栃木縣ノ大麻』栃木県農事試験場（1922）
・1939年、1955年：長野県大麻協会 編『大麻のあゆみ』長野県大麻協会（1965）
・1991年、2018年：厚生労働省医薬、生活衛生局『麻薬・覚醒剤行政の概況』厚生労働省医薬・生活衛生局（2020）

〔主な参考文献〕

全体

長谷川栄一郎、新里宝三『大麻の研究』長谷川唯一郎商店（1937）
大麻博物館『大麻という農作物』大麻博物館（2017）
倉井耕一、赤星栄志、篠﨑茂雄、平野哲也、大森芳紀、橋本智『地域資源を活かす生活工芸双書 大麻』農山漁村文化協会（2019）

第1章 名称

新村出 編『広辞苑 第7版』岩波書店（2018）
厚生省薬務局麻薬課 編『大麻』厚生省（1976）
古田佑紀、齊藤勲 編『大麻取締法・あへん法・覚せい剤取締法』青林書院（1996）
赤星栄志「農作物としての「大麻」の用語史」人間科学研究16（2018）
ヘレン＆ウィリアム・バイナム『世界有用植物誌 人類の暮らしを変えた驚異の植物』柊風舎（2015）

第2章 歴史

鳥浜貝塚研究グループ 編『鳥浜貝塚1983年度調査概報・研究の成果』福井県教育委員会・福井県立若狭歴史民俗資料館（1984）

工藤雄一郎、国立歴史民俗博物館 編『ここまでわかった！ 縄文人の植物利用』新泉社（2014）
布目順郎『絹と布の考古学』雄山閣出版（1988）
斎部広成 編『古語拾遺』岩波書店（2004）
山口佳紀、神野志隆光『古事記〈新編日本古典文学全集〉』小学館（1997）
山守博『麻に関する古歌』大日本法令印刷（1998）
山田卓三、中嶋信太郎『万葉植物辞典』北隆館（1995）
柳田國男『木綿以前の事』岩波書店（1979）
尚学図書 編『故事・俗信ことわざ大辞典』小学館（1982）
下野私立教育会 編『農業教科書 小学校用 下巻』六盟館（1907）
高谷光雄『日本製麻史』法貴定正（1906）
岡光夫『特用作物（明治農書全集第5巻）』農山漁村文化協会（1984）
農林省農務局 編「日本内地ニ於ケル主要工芸農産物要覧（農務局報第43号）」農林省農務局（1925）
赤星栄志『ヘンプ読本　麻でエコ生活のススメ』築地書館（2006）

第3章　農

栃木県農業試験場『栃木県農業試験場90年史』栃木県農業試験場（1986）
西岡五夫『大麻に関する生薬学的研究』生薬学雑誌35（3）（1981）
佐瀬与次右衛門ほか 編『日本農書全集 第19巻 会津農書（会津）／会津農書附録（会津）』農山漁村文化協会（1982）

小林博彦『下野の地場産業』栃木県連合教育会（1985）
栃木市史編さん委員会『栃木市史（民俗編）』栃木市（1979）
鹿沼市史編さん委員会『鹿沼市史（民俗編）』鹿沼市（2001）
粟野町誌編纂委員会『粟野町誌　粟野の民俗』粟野町（1982）
昭和村村史編集委員会『昭和村の歴史』昭和村役場（1973）
栃木県立博物館『麻――大いなる繊維――』栃木県立博物館（1999）
栃木県立博物館『野州麻～道具がかたる麻づくり～』栃木県立博物館（2008）
栃木県農業試験場「静かな夜を取り戻せ！（試験場のプロジェクトX　No.6）」農業試験場（2004）
帝国製麻株式会社 編『帝國製麻株式會社三十年史』帝國製麻（1937）
栃木県歴史散歩編集委員会 編『栃木県の歴史散歩』山川出版社（2007）
橋本智『とちぎ農作物はじまり物語』随想舎（2009）
吉村光右『風土の中の栃木県校歌集　上巻・小学校編』栃木県連合教育会（1987）
イザベラ・バード『日本奥地紀行』平凡社（2000）
芦原伸『平家落人伝説の里　栗山村物語』駿台曜曜社（1999）
栃木県農事試験場『栃木縣ノ大麻』栃木県農事試験場（1922）
長野県大麻協会 編『大麻のあゆみ』長野県大麻協会（1965）
厚生省薬務局『麻薬・覚せい剤行政の概況』厚生労働省薬務局（1994）
厚生労働省医薬、生活衛生局『麻薬・覚醒剤行政の概況』厚生労働省医薬・生活衛生局（2020）
松田恭子「今から始める大麻栽培　無毒大麻を産業に活かす」農業経営者20（9）（2012）
加藤祐子「産業用ヘンプの世界の最新動向」農業経営者25（10）（2017）

下野新聞社 編『とちぎに生きる渋沢栄一　地域振興陰の立役者』下野新聞社（2020）
Sucker Punch Productions『ジ・アート・オブ Ghost of Tsushima』誠文堂新光社（2021）

第4章　衣

静岡市立登呂博物館『登呂遺跡出土資料目録〈登呂遺跡基礎資料4〉』静岡市立登呂博物館（1989）
布目順郎『絹と布の考古学』雄山閣（1988）
布目順郎『目で見る繊維の考古学』染織と生活社（1992）
芳井敬郎『織物技術民俗誌』染織と生活社（1991）
寺島良安 編『和漢三才図会』東京美術（1970）
喜田川守貞『近世風俗志――守貞謾稿』岩波書店（1996）
黒川真道編、菱川師宣『和国百女』柏書房（1983）
菱川師宣『倭国百女』国会図書館デジタルコレクション（1695）
柳田國男『木綿以前の事』岩波書店（1979）
瀬川清子『きもの』六人社（1942）
長野五郎、ひろいのぶこ『織物の原風景』紫紅社（1999）
竹内淳子『草木布Ⅰ』財団法人法政大学出版局（1995）
竹内淳子『草木布Ⅱ』財団法人法政大学出版局（1995）
高橋九一「雪国の女と麻」日本風俗史学会会誌7（4）（1968）
開田村教育委員会『木曽の麻衣』長野県木曽郡開田村教育委員会（1973）

鹿沼市史編さん委員会『鹿沼市史（通史編　近現代）』鹿沼市（2006）
開家正達『麻織物製造法と其の実例』麻織物普及刊行会（1938）
福島県立博物館『布の声をきく』福島県立博物館（2006）
月刊染織α 1982/7/No.7『特集／麻は生きている』染織と生活社（1982）
月刊染織α 1984/8/No.41『特集／世界の麻・日本の麻』染織と生活社（1984）
別冊太陽編集部 編『日本の自然布』平凡社（2004）
神谷國太郎『麻類と雑繊維の精錬法』（1942）

第5章　宗教

中西正幸『神宮大麻の歴史と意義』神社本庁（1998）
國學院大学日本文化研究所『神道辞典』弘文堂（1999）
新村出『広辞苑　第7版』岩波書店（2018）
大島敏史、中村幸弘『現代人のための祝詞』右文書院（2000）
國學院編輯部『賀茂真淵全集第一』吉川弘文館／国会図書館デジタルコレクション（1903）
月兎舎『御遷宮』伊勢神宮崇敬会（2013）
三好和義、岡野弘彦ほか『日本の古社　伊勢神宮』淡交社（2003）
太安万侶『古事記』柏悦堂・国会図書館デジタルコレクション（1870）
鈴木三重吉『古事記物語』青空文庫（1955）
三浦佑之『口語訳　古事記［完全版］』文藝春秋（2002）

梅原猛『古事記』学研プラス（2001）
菅江真澄、宮本常一『菅江真澄遊覧記』平凡社（1967）
大久保利美『大嘗祭～第百二十五代天皇陛下即位礼、皇太子さま雅子さまご成婚・阿波古代史』京屋社会福祉事業団（1995）
大野由之「神宮の大麻について：誕生の背景と性質の相関」皇學館大学神道研究所紀要30号（2014）
安田治樹『ブッダの生涯』河出書房新社（2005）
入矢義高「麻三斤」禅学研究62（1983）

第6章 文化

三島おさむ『どうぞ蚊帳の中へ』本の風景社（2003）
前田明「戦国時代の火薬技術と江戸時代の花火の変遷について」淑徳大学研究紀要3（1969）
塩田公子「海にかかわる麻製品について」民俗服飾研究論集12（1999）
永田志津子「北海道における麻繊維生産の推移について」静修短期大学研究紀要19（1988）
福山和子「北海道の麻事業の歴史概説」民俗服飾研究論集2（1987）
田中忠三郎『物には心がある。』アミューズエデュテインメント（2009）
村田陽子、遠藤時子、斉藤祥子「青森県の麻について」民俗服飾研究論集9（1996）
遠藤時子、村田陽子「秋田・山形県における麻の利用について」民俗服飾研究論集9（1996）
村田陽子、遠藤時子、斉藤洋子「岩手県における麻の利用について」民俗服飾研究論集8（1995）
山本玲子「岩手の麻栽培と麻布」月刊染織α（204）（1998）

松田知子、遠藤時子、村田陽子「宮城県の麻について」民俗服飾研究論集11（1998）
村田陽子、遠藤時子「福島県の麻について」民俗服飾研究論集10（1997）
塩田公子、正地里江、岡野和子「埼玉県の麻について」民俗服飾研究論集11（1998）
村田陽子「茨城県の麻について」民俗服飾研究論集11（1998）
中村やよ江「長野県の麻について」民俗服飾研究論集12（1999）
郷津弘文『千国街道からみた日本の古代：塩の道・麻の道・石の道』栂池高原ホテル出版部（1986）
村田陽子「静岡県の麻について」民俗服飾研究論集12（1999）
村田陽子「岐阜県の麻について」民俗服飾研究論集14（2001）
村田陽子「愛知県の麻について」民俗服飾研究論集15（2002）
村田陽子「三重県の麻について」民俗服飾研究論集16（2003）
Casa小院瀬見桂書房編集部 編『福光麻布』桂書房（2016）
丸山不二夫『全国に広まった上州岩島の精麻を追って』シライシ印刷（自費出版物）（2002）
山本郁男「大麻文化科学考（その1）大麻の文化」北陸大学紀要14（1990）
山本郁男「大麻文化科学考（その2）続大麻の文化」北陸大学紀要15（1991）
妹尾清子、西村綏子「中国地方各県における麻の利用状況調査」民俗服飾研究論集7（1993）
広島市文化振興事業団広島市郷土資料館編『あさづくり』広島市教育委員会（1990）
妹尾清子「四国地方各県における麻の利用状況調査」民俗服飾研究論集8（1995）
妹尾清子「岡山県の麻」民俗服飾研究論集10（1997）
山本郁男、井本真澄、岩井勝正「大麻文化科学考（補遺）：日向の大麻」九州保健福祉大学研究紀要5（2004）
小谷るみ「久留米絣を支える「粗苧」を守る」月刊染織α（312）（2007）

篠崎茂雄「野州麻に関する生産・加工用具」民具研究125(2007)
斉藤恵美「大麻の日本史」日本史の方法(2)(2005)
矢野道子『対馬の生活文化史』源流社(1995)

第7章　食

文部科学省科学技術・学術審議会資源調査分科会報告『日本食品標準成分表2020年版(八訂)』蔦友印刷・全国官報販売協同組合(2021)
工藤雄一郎、一木絵里「縄文時代のアサ出土例集成」国立歴史民俗博物館研究報告187(2014)
佐伯矩「日本食品成分総攬」栄養研究所報告3(1)(1934)
農山漁村文化協会『日本の食生活全集(全51巻)』農山漁村文化協会(1993)
デイヴィッド・ウォルフ『スーパーフード』医道の日本社(2015)
赤星栄志、水間礼子『体にやさしい麻の実料理』創森社(2004)
赤星栄志「日本食品標準成分表における麻の実の収載の変遷」人間科学研究17(2019)
那奈なつみ『美肌！美腸！やせる！ヘンプシードダイエット』主婦の友社(2017)

第8章　薬

劉克寰『神農本草経』台湾中華書局(1970)
浜田善利、小曽戸丈夫『意訳神農本草経』築地書館(1976)
山本郁男『大麻の文化と科学』廣川書店(2001)

レスリー・L.アイヴァーセン『マリファナの科学』築地書館（2003）
日本公定書協会 編『第十五改正日本薬局方』じほう（2006）
矢口高雄『ボクの手塚治虫』毎日新聞社（1989）
渡辺和人、正山征洋「大麻成分フィトカンナビノイドの変遷」第一薬科大学研究年報35（2019）
山本豊ほか「日本における原料生薬の使用量に関する調査報告」生薬学雑誌73（1）（2019）
佐藤均 監修、日本臨床カンナビノイド学会 編『カンナビノイドの科学：大麻の医療・福祉・産業への利用』築地書館（2015）
アイリーン・コニェツニ、ローレン・ウィルソン『CBDのすべて：健康とウェルビーイングのための医療大麻ガイド』晶文社（2019）
ナショナル ジオグラフィック「マリファナ 世界の大麻最新事情」ナショナル ジオグラフィック（2020）
松本俊彦ほか「特集 大麻－国際情勢と精神科臨床－」精神科治療学35（1）（2020）
モニク・シモンズほか『イギリス王立植物園キューガーデン版 世界薬用植物図鑑』原書房（2020）

第9章 模様

奥村萬亀子「衣服文様についての歴史的考察・麻の葉文について」京都府立大学学術報告、人文22（1970）
大麻博物館『麻の葉模様 なぜ、このデザインは八〇〇年もの間、日本人の感性に訴え続けているのか？』大麻博物館（2019）
堀川波『かわいい背守り刺繍：子どもを守るおまじない』誠文堂新光社（2019）
吾峠呼世晴『鬼滅の刃 15』集英社（2019）

第10章 法

農林省特産課特産会二十五年記念事業協賛会『特産課特産会二十五年誌』農林省特産課特産会二十五年記念事業協賛会（1963）
林修三「大麻取締法と法令整理」時の法令（530号）財務省印刷局編（1965）
原静『実験麻類栽培新編』養賢堂（1950）
古谷謙、農林省特産課 補訂『工藝作物精説』朝倉書店（1950）
厚生労働省「麻薬・覚醒剤行政の概況」厚生労働省報告書概要版（2012）
伊藤智基「大麻取締法における大麻栽培者免許に関する——考察：カナダにおける『産業用大麻規則』との比較法的検討を中心として」都市政策研究6（2012）
杉江謙一、阿久津守「繊維型大麻草およびその濃縮物中のカンナビノイド含有量の調査」日本法科学技術学会誌（2019）
菊地治己「国内ヘンプ生産拡大に向けた規制改革要求」農業経営者28（12）（2020）
赤星栄志「世界における産業用大麻（ヘンプ）に対する規制制度について」人間科学研究18（2021）
ローワン・ロビンソン、オルタード・ディメンション研究会 編『マリファナ・ブック』オークラ出版（1998）
ジャック・ヘラー『大麻草と文明』築地書館（2014）
高城剛『大麻ビジネス最前線：Green Rush in 21st century』未来文庫（2018）
高城剛『GREEN RUSH』NEXTRAVELER BOOKS（2019）
佐久間裕美子『真面目にマリファナの話をしよう』文藝春秋（2019）

日《に》本《ほん》人《じん》のための大《だい》麻《ま》の教《きょう》科《か》書《しょ》

The Textbook of TAIMA
for Japanese People

日本人《にほんじん》のための
大麻《たいま》の教科書《きょうかしょ》

「古《ふる》くて新《あたら》しい農作物《のうさくぶつ》」の再発見《さいはっけん》

二〇二一年五月二五日　第一刷発行

著者　大麻博物館
執筆協力　高安淳一、伊藤善亮、赤星栄志
イラスト　丹野杏香
ブックデザイン　金澤浩二
校正校閲　konoha
本文DTP　臼田彩穂
編集　矢作奎太
発行人　北畠夏影
発行所　株式会社イースト・プレス
〒一〇一-〇〇五一
東京都千代田区神田神保町二-四-七久月神田ビル
Tel：〇三-五二一三-四七〇〇
Fax：〇三-五二一三-四七〇一
https://www.eastpress.co.jp

印刷所　中央精版印刷株式会社

ISBN 978-4-7816-1980-4